KT-458-569

Ewa Lipińska

Nie ma róży bez kolców

Ćwiczenia ortograficzne dla cudzoziemców

Orthographic Exercises for Foreigners

KRAKÓW

Książka dotowana przez Instytut Polonijny Uniwersytetu Jagiellońskiego

© Copyright by Ewa Lipińska and Towarzystwo Autorów i Wydawców
Prac Naukowych UNIVERSITAS, Kraków 1999, wyd. I

ISBN 83-7052-795-7
TAiWPN UNIVERSITAS

Projekt okładki i stron tytułowych
Robert Guzik

Rysunki
Renata Agata Porębska

Nie ma róży bez kolców

Ćwiczenia ortograficzne dla cudzoziemców

Orthographic Exercises for Foreigners

JĘZYK POLSKI DLA CUDZOZIEMCÓW

SERIA POD REDAKCJĄ
Władysława Miodunki

INSTYTUT POLONIJNY
UNIWERSYTETU JAGIELLOŃSKIEGO

Spis treści

Wstęp

Ćwiczenia ortograficzne **Nie ma róży bez kolców** zostały opracowane przede wszystkim z myślą o cudzoziemcach[1] uczących się języka polskiego jako obcego na poziomie średnio zaawansowanym, lecz mogą być także wykorzystywane na poziomie niższym (nie w całości), a nawet na zaawansowanym. Mimo że zawierają klucz do ćwiczeń, przeznaczone są do pracy z nauczycielem – zwłaszcza jeśli chodzi o część teoretyczną i ćwiczenia opatrzone gwiazdkami (* oznacza ćwiczenie, które *warto*, ** – takie, które *powinno się*, a ***, które *należy* przeczytać studentom głośno). Im niższy poziom grupy, tym udział nauczyciela we wdrażaniu ortografii musi być większy.

W *ćwiczeniach* **Nie ma róży bez kolców** zakres słownictwa – bazy ortografii – jest bardzo szeroki, nie dopasowany ściśle do żadnego poziomu, a to ze względu na specyfikę wyrazów, które są niezbędne albo przynajmniej potrzebne do wyjaśnienia (a potem ćwiczenia) poszczególnych problemów ortograficznych, a także w związku z możliwością stosowania *ćwiczeń* na niejednym poziomie. Każdy rozdział zawiera znaczną ilość nowych słów, z których większość umieszczona została w części teoretycznej, ale pojawiają się także w kolejnych ćwiczeniach i są najczęściej kilkakrotnie powtarzane, co umożliwia ich przyswojenie.

Niniejsze *ćwiczenia ortograficzne* zostały opracowane na jeden rok, jeśli program przewiduje 2 godziny nauki pisania tygodniowo, lub na jeden semestr, gdy harmonogram zakłada ich 4. Zazwyczaj ortografia nauczana jest razem z kompozycją tekstu, a więc stanowi tylko część lekcji. Ile czasu poświęcać na poszczególne zagadnienia i jak je sobie rozplanować, decyduje prowadzący zajęcia. Zaleca się wszakże dawkować z umiarem każdy nowy temat, aby nie przeładowywać wprowadzania nowego słownictwa.

W **Nie ma róży bez kolców** umieszczono 10 tematów w kolejności sugerowanej, lecz nieobowiązkowej. Są to:

---

[1] mogą być stosowane również przez polonistów w pracy z młodzieżą szkolną w kraju i zagranicą

1. Duże i małe litery
2. Spółgłoski dźwięczne i bezdźwięczne
3. Spółgłoski twarde i miękkie
4. Pisownia **-ji, -ii, -i** na końcu wyrazu
5. Pisownia **ę, en, em, ą, on, om**
6. Pisownia **ó** i **u**
7. Pisownia **rz** i **ż**
8. Pisownia **ch** i **h**
9. Podstawowe zasady interpunkcji
10. Pisownia **nie** razem i osobno

Każde zagadnienie składa się z części teoretycznej i praktycznej. Pewne ograniczenia i skróty w części teoretycznej są zamierzone, gdyż głównym celem *Nie ma róży bez kolców* jest przyswajanie reguł poprzez praktykę, stąd pokaźna ilość ćwiczeń. Dzielą się one na ćwiczenia: transformacyjne, wyboru, uzupełniania luk, układania w odpowiedniej kolejności (tzw. rozsypanki), kreatywne oraz zapisywane ze słuchu. Te ostatnie mogą być traktowane jako dyktanda częściowe lub ciągłe[2], przy czym na uwagę zasługują autodyktanda sugerowane w instrukcji ćwiczeń.

Wśród omówionych zagadnień znajdują się dwa, które nie zawsze pojawiają się lub nie są opracowane zbyt szeroko w podręcznikach przeznaczonych dla Polaków. Są to spółgłoski dźwięczne i bezdźwięczne oraz miękkie i twarde. Tymczasem stwarzają one poważne problemy uczącym się języka polskiego jako obcego. Warto do nich wracać co jakiś czas, bo tak naprawdę nigdy do końca nie zostają dobrze przez cudzoziemców opanowane. W rozdziale dotyczącym spółgłosek dźwięcznych i bezdźwięcznych pojawia się w związku z tym część ilustrująca mechanizmy wymowy niektórych spółgłosek oraz ćwiczenia umożliwiające naukę rozróżniania dźwięków trudnych dla nie-Polaków, co wybiega nieco poza ramy nauki zasad pisowni sensu stricto.

Ćwiczenia ortograficzne zostały opracowane trochę nietypowo graficznie, a mianowicie w większości rozdziałów jedna część teorii znajduje się po prawej, a druga (niejako kontrastowa) – po lewej stronie. Ma to stanowić ułatwienie dla „wzrokowców". Ponadto na początku części teoretycznej każdego zgadnienia pojawia się rysunek róży, w środku – kaktusa; jeżyk otwiera część praktyczną,

---

[2] por. E. Lipińska *Niemodne dyktanda*, „Języki obce w szkole" nr 5, 1996, s. 407

a kończą lekcję kasztany, co ma sugerować, że nawet kolczaste może być sympatyczne.

Po każdym zagadnieniu wskazane jest przeprowadzenie ćwiczenia kontrolnego stanowiącego podsumowanie opanowania teorii i praktyki, czyli sprawdzającego nie tylko umiejętność poprawnego pisania i zapisu ze słuchu, ale i odpowiedzi na pytanie **dlaczego tak się pisze?**

Sugeruje się, aby pracować z *Nie ma róży bez kolców* niespiesznie, a także aby skrupulatnie kontrolować wykonane przez studentów ćwiczenia.

Duże i małe litery 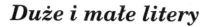 **1**

Dużymi literami pisze się:

1. imiona własne ludzi, zwierząt, bogów np.
Adam, Henryk Sienkiewicz, Reks, Zeus, Apollo

2. przezwiska, pseudonimy, przydomki, np.
„Gruby", „Wulkan", „Hubal", Zygmunt Stary

3. nazwy dynastyczne, np.
Jagiellonowie, Habsburgowie, Andegaweni

4. nazwy świąt, np.
Wielkanoc, Wigilia, Nowy Rok, Wszystkich Świętych

5. nazwy planet i konstelacji, np.
Księżyc, Wenus, Wielki Wóz, Krzyż Południa
ale: *ziemia, księżyc, słońce* – jeśli są nazwami pospolitymi

6. nazwy państw, regionów, prowincji, stanów, miast, dzielnic, itp., np.
Norwegia, Mazury, Lotaryngia, Ohio, Rzym, Stare Miasto

7. nazwy mieszkańców części świata, krajów, członków narodów, prowincji, ras, np.
Azjata, Niemiec, Żyd, Aborygen, Słowianin, Ślązak

8. nazwy geograficzne i topograficzne, np.
Bałtyk, Pacyfik, Tatry, Sekwana, Mount Blanc, Sahara, Wyspy Owcze, Morze Egejskie

UWAGA!

Pisze się: ocean *Pacyfik*, **ale** *Ocean Spokojny*
morze *Bałtyk*, **ale** *Morze Bałtyckie*
półwysep *Hel*, **ale** *Półwysep Bałkański*
góra *Giewont* **ale** *Góra Kościuszki*
(mian. + mian.)

9. jednowyrazowe nazwy dzielnic, ulic, placów, ogrodów, zabytków, np.

aleja (l.poj.) Róż, **ale** *Aleje (l.mn.) Trzech Wieszczów, (ulica) Zwierzyniecka, (most) Grunwaldzki, (plac) Matejki, (kościół) Na Skałce, Kleparz, Sukiennice, Wilanów, Łazienki, Barbakan,*

UWAGA!

W nazwach wielowyrazowych piszemy dużą literą wszystkie wyrazy, jeśli wchodzą ściśle w skład nazwy własnej, np.

Brama Floriańska, Pałac Kultury, Wybrzeże Kościuszkowskie

10. tytuły książek, gazet i czasopism
* jednowyrazowe tytuły gazet i czasopism, np.

„Polityka", „Przekrój", „Focus"
* wszystkie wyrazy w odmiennych tytułach czasopism, np.

„Dziennik Polski", „Poradnik Językowy", „Twój Styl"
* tylko pierwszy wyraz w nieodmiennych tytułach czasopism, np.

„Żyjmy dłużej", „Pani domu", „ Wszystko dla ogrodu"
* pierwszy wyraz w tytułach utworów literackich i naukowych, np.

„Gramatyka języka polskiego", „Legendy warszawskie", „Pieśni o domu", „Za chlebem"

11. nazwy instytucji, urzędów, organizacji, np.
Urząd Ochrony Państwa, Bank Spółdzielczy, Organizacja Narodów Zjednoczonych

12. nazwy orderów i odznaczeń, np.

Legia Honorowa, Virtuti Militari, Order Uśmiechu

13. ze względów uczuciowych i grzecznościowych wyrazy, przy pomocy których wyraża się podziw, szacunek, miłość, np.
Rodzice, Babcia, Prezydent, Papież

14. nazwy osób, do których i o których piszemy, a także zaimki i przymiotniki odnoszące się do nich, np.
Kochany *Tatusiu*! Jak się czuje *Twoja Mama*? Pozdrów *Ją* ode mnie. Napiszę do **W**as wkrótce.

Małymi literami pisze się:

1. nazwy dni tygodnia, miesięcy, okresów kalendarzowych, np.
piątek, luty, jesień, karnawał, adwent

WYJĄTKI: Wielki Tydzień, Wielki Piątek, Niedziela Palmowa

2. nazwy okresów, epok, prądów kulturalnych, np.
średniowiecze, renesans, gotyk, pozytywizm

3. nazwy modlitw, obrzędów, tańców, np.
litania, ślub, polka, krakowiak

4. nazwy członków organizacji politycznych i wyznawców religii, np.
socjaldemokrata, komunista, ewangelik, katolik

5. nazwy wytworów przemysłowych np.
camele, mercedes, fiat, seiko

6. nazwy jednostek monetarnych, np.
marka, lir, dolar, rubel, korona, złotówka

7. nazwy mieszkańców miast i wsi, np.
warszawianin, paryżanka, wiedeńczyk, rzymianka

8. nazwy oznaczające położenie geograficzne, stron świata i okręgów administracyjnych, np.
wschód, południk, równik, biegun północny

9. przymiotniki utworzone od nazw kontynentów, krajów, miejscowości, narodów, np.
państwa *afrykańskie*, języki *europejskie*, kultura *polska*, zabytki *krakowskie*

UWAGA!
Dużą literą pisze się przymiotniki, które wchodzą w skład nazw geograficznych, np.
Morze Północne, Górny Śląsk, Ameryka Południowa

ĆWICZENIA

1. Od podanych niżej wyrazów utworzono nazwy mieszkańców (w rodzaju męskim). Proszę zdecydować, czy pierwsza litera ma być duża, czy mała.

Przykład: Ameryka – **A**merykanin   Londyn - *l*ondyńczyk

1. Europa – ...uropejczyk
2. Berlin – ...erlińczyk
3. Azja – ...zjata
4. Nowy Jork – ...owojorczyk
5. Wrocław – ...rocławianin
6. Holandia – ...olender

7. Australia – ...ustralijczyk
8. Litwa – ...itwin
9. Francja – ...rancuz
10. Meksyk (miasto) – ...eksykanin
11. Ateny – ...teńczyk
12. Włochy – ...łoch

2. Proszę utworzyć przymiotniki od podanych rzeczowników:

Przykład: Anglia – **angielski** akcent

1. Polska – . . . . . . kultura   7. Czechy – . . . . . . piwo

2. Francja –	aktor	8. Szwecja –	film
3. Hiszpania – . . .	język	9. Wietnam –	kuchnia
4. Korea –	samochód	10. Brazylia –	drużyna
5. Australia –	pisarz	11. Rosja –	balet
6. Belgia –	moneta	12. Boliwia –	muzyka

3. Proszę zdecydować, czy podana w nawiasie litera ma być duża czy mała.

Przykład: Irena przyjedzie do nas w (w) **W**ielką (s) **S**obotę.

1. Urodziłem się w (m)...aju, a moja siostra w (g)...rudniu.
2. Chodzę na (j)...udo w (p)...iątki, a na (k)...oszykówkę w (ś)...rody.
3. Czy ta wyspa znajduje się na (o)...ceanie (s)...pokojnym czy na (a)...tlantyku?
4. Gdzie leży (g)...óra (k)...ościuszki? W (a)...ustralii czy w (e)...uropie?
5. Zwiedziliśmy już (w)...awel, (c)...ollegium (m)...aius i (m)...uzeum (c)...zartoryskich.
6. Lubisz chodzić do (f)...ilharmonii? Tak, ale tylko do (f)...ilharmonii (n)...arodowej.
7. Jutro w (p)...ołudniowej (e)...uropie wystąpią silne wiatry, a pojutrze w (a)...meryce (p.)...ołudniowej przewidywane jest (t)...ornado (f)...eliks.
8. Bardzo piękny jest (k)...rzyż (p)...ołudnia, ale wolę (w)...ielki (w)...óz.
9. Jesteś (k)...rakowianinem i nie umiesz tańczyć (k)...rakowiaka?
10. Nie każda (p)...olka musi umieć tańczyć (p)...olkę.
11. Czy wiesz jaka jest odległość między (k)...siężycem a (s)...łońcem?
12. Jutro (s)...łońce zajdzie o19^{20}.

4. Proszę zdecydować, czy podana w nawiasie litera ma być duża czy mała

1. Kupuj „(w)...prost” – to ciekawe czasopismo!
2. Byliście już na filmie „(m)...ały, (m)...niejszy i (n)...ajmniejszy”?
3. Muszę wymienić (f)...ranki na (z)...łotówki.
4. W (w)...ielki (p)...iątek sklep będzie nieczynny.
5. Eryk jest (p)...rotestantem czy (a)...nglikaninem?

6. Mieszkam przy (u)...licy (j)...aśminowej, a (b)...artek przy (p)...lacu (t)...rzech (k)...rzyży.
7. Interesuję się literaturą (r)...osyjską z epoki (o)...świecenia.
8. Jego ojciec pracuje w (b)...anku? Tak, jest dyrektorem (b)...anku (ś)...ląskiego.
9. (n)...owy (r)...ok spędziliśmy u (b)...abci (s)...tasi.
10. W (n)...owym (r)...oku przeprowadzimy się do (g)...dańska.
11. Może pójdziemy jutro do (o)...grodu (b)...otanicznego?
12. Może raczej posiedzimy sobie w (b)...abcinym (o)...ogrodzie.

5. Proszę zdecydować, czy podana w nawiasie litera ma być duża czy mała.

1. Chciałabym pojechać do (ż)...elazowej (w)...oli, gdzie urodził się (f)...ryderyk (c)...hopin.
2. Kiedy obchodzi się w (p)...olsce (d)...zień (m)...atki?
3. Wolisz architekturę (b)...arokową czy (g)...otycką?
4. Ten (i)...ndianin miał na imię (s)...okole (o)...ko.
5. Kupię mojej (p)...rzyjaciółce „(p)...rzyjaciółkę".
6. Postaw koszyk na (z)...iemi.
7. Jutro przepłyniemy (r)...ównik.
8. Podaruję mojej (a)...ustriackiej koleżance „(h)...istorię (f)...ilmu (p)...olskiego"
9. Wiedziałeś, że ludność (p)...odhala mówi (g)...warą (g)...óralską?
10. W (n)...iedzielę pójdziemy na (k)...opiec (k)...ościuszki.
11. Na (b)...liskim (w)...schodzie szykuje się wojna.
12. Ten film opowiada o przyjaźni (z)...iemianina i (m)...arsjanina.

6. Proszę zdecydować, czy podana w nawiasie litera ma być duża czy mała.

(t)...arnów, 12 (m)...arca, 1999 r.

(k)...ochana (m)...ałgosiu!

Dawno nie pisałam do (c)...iebie, ale bardzo chorowałam. Miałam (g)...rypę, choć bez gorączki. Już czuję się prawie dobrze. Ostatnio odwiedziła mnie „(m)...ała" – pamiętasz (j)...ą? Właściwie nie wiem dlaczego tak (j)...ą nazywałyśmy – przecież jest tak samo wysoka jak (t)...y.

Ciekawa jestem jak się czuje (t)...woja (c)...iocia (e)...leonora. Ile (o)...na ma już lat – 92 czy 90?

Mam nadzieję, że (w)...asz (f)...iat jest już naprawiony. Jeśli tak, może przyjechalibyście do (n)...as w (n)...iedzielę po (b)...ożym (n)...arodzeniu? Serdecznie zapraszamy! Przyjedźcie z (a)...resem – wiesz jak (m)...arcin lubi psy.

No, to trzymaj się i pozdrów (w)...szystkich! Do zobaczenia!

(j)...ulia

7. Proszę podkreślić odpowiednią literę.

Przykład: Droga A/aniu!

Interesuję się literaturą A/amerykańską i kulturą P/polską. Jaka jest odległość od M/marsa do K/księżyca? Mój przyjaciel jest A/afrykaninem, ale mieszka w E/europie. W każdy W/wtorek chodzę do F/filharmonii. Umiesz tańczyć M/mazura? W L/lutym zacznę studiować M/medycynę.

Naszym ulubionym K/kompozytorem jest C/czajkowski. Mój O/ojciec codziennie czyta „G/gazetę W/wyborczą”. Każdy P/polak wie, kto to jest K/kopernik. Nasza koleżanka jest A/angielką; zwiedziła wiele państw E/europejskich i niektóre kraje A/azji. Ona mieszka w R/rzymie, więc chyba jest R/rzymianką. Nowa wyprawa astronautów na W/wenus rozpocznie się w P/październiku. Znasz język S/słowacki? Nie, znam tylko C/czeski. Bardzo lubię G/góry, ale najbardziej T/tatry. Dla mnie krajobrazy T/tatrzańskie są najpiękniejsze! Jesteśmy K/katolikami, a nie P/protestantami.

8. Proszę podkreślić odpowiednią literę.

Nasza S/samba urodziła wczoraj 4 kociąt. Przeprowadzili się z M/mokotowa na P/pragę. Palę P/popularne, a mój ojciec M/marlboro. Ten pisarz został odznaczony O/orderem U/uśmiechu. Wiersz pt. „O/ostatni K/krzyk” zamieszczony w „G/gazecie K/krakowskiej” zdobył najwięcej głosów w konkursie. Zaczęła chorować w K/karnawale, a w W/wielką S/sobotę poszła do S/szpitala. Jej wujek pracuje w S/szpitalu im. K/konopnickiej w O/olsztynie. Czy wasz P/prezydent jest K/komunistą? Ela ma V/volvo, a jej brat P/porsche. Wyprawa M/marka K/kamińskiego na B/biegun P/północny trwała 3 miesiące. Urodził się w S/starym S/sączu, ale od 40 lat mieszka w M/mediolanie i czuje się M/mediolańczykiem. Ukradziono mu 100 D/dolarów A/amerykańskich i 150 F/franków S/szwajcarskich. Przyjadę do was w N/niedzielę P/palmową. Zaprosiłam ich na W/wtorek. Gdzie leżą W/wyspy W/wielkanocne? Co byś zabrał na B/bezludną W/wyspę?

Spółgłoski dźwięczne i bezdźwięczne

2

Spółgłoski dźwięczne	Spółgłoski bezdźwięczne
b	p
d	t
g	k
w	f
z	s
ż (rz)	sz
dź	ć
ź	ś
dz	c
dż	cz

inne spółgłoski dźwięczne nie mające pary bezdźwięcznej:
r, l, ł, m, n, ń, j,

UWAGA! Wszystkie samogłoski są *dźwięczne.*

W języku polskim oznaczanie spółgłosek dźwięcznych i bezdźwięcznych na końcu i środku wyrazu na ogół nie zależy od wymowy. Aby się upewnić, jakie litery trzeba napisać na końcu lub
w środku wyrazu, należy:

1. dobrać (znaleźć) taką formę tego samego wyrazu, w której ta spółgłoska znajdzie się przed samogłoską. To może być np. dopełniacz liczby pojedynczej lub mnogiej lub inna forma czasownika, itp.

Przykłady:

chle**b** – chle**b**a, chle**b**y   śnie**g** – śnie**g**u, śnie**g**i
sąsia**dk**a – sąsia**d**ek (l.mn.)   ma**ż**! – ma**ż**ę, ma**ż**esz
pa**w** – pa**w**ia, pa**w**ie   ga**z** – ga**z**u, ga**z**y

2. dobrać taki wyraz pokrewny (z tej samej rodziny wyrazów), w którym ta spółgłoska znajdzie się przed samogłoską lub spółgłoską wymawianą zawsze dźwięcznie, czyli: **r, l, ł, m, n, ń, j.**

Przykłady:

we**ź**! – we**ź**miesz, we**ź**mie   li**cz**ba – li**cz**yć   jedwa**b** – jedwa**b**ny

Na końcu wyrazu

Spółgłoski dźwięczne, które mają swoje odpowiedniki (pary) bezdźwięczne (b, d, g, w, z, ź, ż, dz, dź, dż) stojące na końcu wyrazu piszę się **niezgodnie** z wymową, tzn. wymawia się bezdźwięcznie, a pisze jako dźwięczne, np.

mró**z** [wymowa: *s*]   ró**g** [*k*]   ry**ż** [*sz*]   przyj**dź** [*ć*]   pienią**dz** [*c*]

Pozostałe wymawia się i pisze **tak samo:**

do**m**   sy**n**   ko**ń**   rowe**r**   paraso**l**

W środku wyrazu

Wymawia się jednakowo, czyli bezdźwięcznie lub dźwięcznie, niezależnie od pisowni, **dwie** sąsiadujące ze sobą spółgłoski w środku wyrazu.

Przykłady:

ła**w**ka [wym. *f*]   grzy**b**ki [*p*]   bran**s**oletka [z]

kwiatek [*f*]   wali**z**ka [*s*]   pro**ś**ba [*ź*]

Zakończenia **-dztwo** i **-dzki** piszemy w wyrazach pochodzących od słów, których temat kończy się na: *d, dz, dź lub dż*.

Przykłady:

sąsie**dz**two, sąsie**dz**ki – bo – sąsia**d**   łó**dz**ki – bo – (**Łódź**) łó**d**ka

UWAGA!

Zjawisko ubezdźwięcznienia spółgłosek zachodzi bardzo często w formach deminutywnych (zdrobnieniach) lub zgrubiałych.

Przykłady:

*tore**bk**a* – ale – torba   *wali**z**ka* – ale – waliza   *głó**w**ka* – ale – głowa

ĆWICZENIA

---

1. Proszę zamienić liczbę mnogą na pojedynczą, a potem przeczytać głośno obie formy.

Przykład: chleby – chle**b**

A:
1. błędy – . . . .
2. sądy – . . . .
3. soki – . . . .
4. czołgi – . . . .
5. węże – . . . .
6. samochody – . . . .
7. ogrody – . . . .
8. pierogi – . . . .
9. sarkofagi – . . . .
10. limity – . . . .
11. kołnierze – . . . .
12. gady – . . . .

B:
1. kąty – . . . .
2. śniegi – . . . .
3. rogi – . . . .
4. kody – . . . .
5. koty – . . . .
6. gołębie – . . . .
7. noże – . . . .
8. ptaki – . . . .
9. papierosy – . . . .
10. gwoździe – . . . .
11. Szwedzi – . . . .
12. płoty – . . . .

2. Proszę zamienić formy deminutywne na podstawowe, a potem przeczytać głośno obie formy.

Przykład: główka – głowa.

1. walizka – . . . .
2. szybka – . . . .
3. trąbka – . . . .
4. bluzka – . . . .
5. łóżko – . . . .
6. torebka – . . . .

7. ławka – . . . .
8. gniazdko – . . . .
9. drzewko – . . . .
10. wódka – . . . .
11. łezka – . . . .
12. kawka – . . . .

** 3. Proszę zdecydować, którą z podanych liter wpisać w puste miejsce, a następnie znaleźć inną formę tego wyrazu (np. dopełniacz liczby pojedynczej lub mnogiej)

Przykład: pienią**dz** (dz/c) – pieniądza   księży**c** (dz/c) – księżyca

1. obia... (d/t) – . . . .
2. móz... (g/k) – . . . .
3. leka... (rz/sz) – . . . . . .
4. obru... (z/s) – . . . .
5. obra... (z/s) – . . . .
6. gło... (z/s) – . . . .
7. mió... (d/t) – . . . .
8. bu... (d/t) – . . . .
9. mą... (ż/sz) – . . . .
10. ry... (ż/sz) – . . . .

11. zą... (b/p) – . . . .
12. gara ... (ż/sz) – . . . .
13. pocią... (g/k) – . . . .
14. szali... (g/k) – . . . .
15. śnie... (g/k) – . . . .
16. dowó... (d/t) – . . . .
17. ku... (rz/sz) – . . . .
18. ner... (w/f) – . . . .
19. sej... (w/f) – . . . .
20. kalenda... (rz/sz) – . . . . . .

4. Proszę znaleźć inną formę czasownika, która wyjaśnia pisownię podanych form trybu rozkazującego i przeczytać głośno obie formy.

Przykład: gry**ź**! – (on) *gry**zie***

1. ró**b**! – . . . .
2. zosta**w**! – . . . .
3. je**dz**! – . . . .
4. je**dź**! – . . . .
5. wró**ć**! – . . . .
6. cho**dź**! – . . . .

7. sie**dź**! – . . . .
8. pi**sz**! – . . . .
9. otwó**rz**! – . . . .
10. mó**w**! – . . . .
11. no**ś**! – . . . .
12. powie**ś**! – . . . .

*** 5. Proszę uzupełnić przy pomocy $\boxed{p-b}$ $\boxed{t-d}$ $\boxed{k-g}$ $\boxed{f-w}$ $\boxed{z-s}$ $\boxed{\dot{z}\ (rz)-sz}$ $\boxed{dz-c}$ i wyjaśnić swój wybór w przypadku niezgodności pisowni i wymowy.

Przykład:
kremó**w**ka (bo: *kremowy*)   okła**d**ka (bo: *okładać*)   ma**t**ka –
agra**f**ka –   młodzie**ż** (bo: *młodzieży*)

A:
1. widokó...ka
2. kla...ka
3. lotni...two
4. móz...
5. szwe...ki
6. sło...ki
7. cię...ki
8. nazwi...ko
9. go...ki
10. papie...
11. spo...kać
12. słów...o

B:
1. sąsia...ka
2. ły...ka
3. gwiaz...ka
4. ka...tan
5. ście...ka
6. żaró...ka
7. u...ko
8. ry...ka
9. kana...ka
10. lu...ki
11. koryta...
12. ko...mos

C:
1. ch...alić
2. grzy...ki
3. obra...ki
4. ś...ieca
5. wyści...
6. powie...!
7. konie...
8. bu...elka
9. bli...ki
10. mró...
11. ogró...ki
12. marche...ka

6. Podane zdania proszę zamienić na liczbę mnogą, a potem przeczytać je głośno.

Przykład: Kiedy zmieniono ten *kod*?   Kiedy zmieniono te **kody**?
1. Lekarz je obiad. . . . .
2. Pociąg jedzie wolniej niż samochód. . . . .
3. Ten Szwed jest weselszy niż tamten Francuz. . . . .
4. Kalendarz i nóż leżą na stole. . . . .
5. Fotografuję chleb i miód. . . . .
6. Mąż wyciera kurz. . . . .
7. Grzyb jest mniejszy niż obraz. . . . .
8. Gołąb ma chory ząb. . . . .
9. Czy w słowie „sarkofag" jest błąd? . . . .
10. Narysuj łódź i staw. . . . .
11. Obserwuję wyścig psów. . . . .
12. Widzisz ten długi korytarz? . . . .

7. Proszę uzupełnić tabelkę, przeczytać głośno i uzasadnić pisownię podanych wyrazów (niezgodność wymowy z zapisem)

rzeczownik	*przymiotnik*	*przysłówek*
szybkość	szybki	szybko
miód		
	lądowy	
		ogrodowo
	śniegowy	
lud		
		po ludzku
grzyb		
	gwiazdkowy	

8. Proszę połączyć w logiczne pary wyrazy z kolumn A i B i ułożyć z wybranymi 4 zdania.

A:
1. ciężka
2. gorzka
3. słodki
4. szwedzka
5. szybki
6. niskie
7. kosmiczny
8. krzywa

B:
a. kawa
b. łóżko
c. błąd
d. samochód
e. walizka
f. ścieżka
g. wódka
h. miód

1. . . . .
2. . . . .
3. . . . .
4. . . . .

*** **9**. Proszę uzupełnić przy pomocy dźwięcznych lub bezdźwięcznych spółgłosek.

W...ród drze... rosło dużo jagó... . Gre... nie jada ostry... . Zapytaj Ta...ka, gdzie kupił ten nó... . W namiocie nie wygó... . Nigdy nie widziałem tylu fla... na filharmonii. Zgubiłam tu... do rzęs i ró... do policzkó... . Ta blu...ka ma niemodny kołnie... . Kup żaró...kę, agra...ki, trzy kremó...ki i jakieś k...iatki – może ...iołki? Pot...ebne mi dwa ołó...ki. Jutro będzie mró... i śnie... . Powie... mamie, że p...yjdę we ...torek. Po...pi... się tutaj! Sąsia... remontuje gara... . Nie je... tyle bananó...! Uwielbiam truska...ki ze śmietaną. Od cz...artku boli go zą... . Po...tó...cie końcó...ki dopełniacza. Nie mó... jej tego! Czy jaszczurka to ga... czy pła...? Daj mi p...epis na ten tor... . Na okła...ce tego pisma są le..., tygrysy... i ko... . Lubię chodzić w kla...kach. Mam ładną papu...kę. Stamtą... lepiej widać lą... . Jej mą... jest wcią... s...rustrowany. Ba...cia się p...eziębiła i ka...le. Ja ta...że nie mam sej...u w domu. Wolisz dostać bran...oletkę czy pier...cionek? Jadę taksó...ką dzisiaj ju... cz...aty ra... . P...eka... ojcu pozdrowienia. Nie je...cie teraz na cmenta... . Czym się różni ła...ka od kanapy? Sie...cie cicho!

Notatki

Spółgłoski miękkie i twarde 3

Spółgłoski miękkie	Spółgłoski twarde
ś (si)	s
ć (ci)	c
ź (zi)	z
dź (dzi)	dz
ń (ni)	n

O wymowie spółgłosek miękkich i twardych decyduje udział środkowej części języka.

Jeśli wznosi się ona lub dotyka podniebienia, powstają spółgłoski **miękkie.**

Oto przykłady zasad wymowy spółgłosek: **c-cz-ć** *oraz* **s-sz-ś**

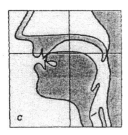
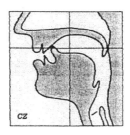
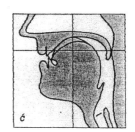
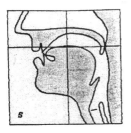
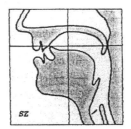
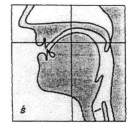

W piśmie oznaczamy miękkość spółgłosek przy pomocy:

1. kreseczki nad literą oznaczającą odpowiednią spółgłoskę twardą: *ś, ć, ź, dź, ń*. Używa się tych spółgłosek na końcu wyrazu lub przed inną spółgłoską.

Przykłady:
pisa**ć**, ko**ń**, **ć**wier**ć**, za**ś**wieci**ć**, sło**ń**ce, **dź**więk, przyja**źń**, gałą**ź**

2. litery *i* dodanej do odpowiedniej spółgłoski twardej
Pisze się *i* przed samogłoską.

Przykłady:
ciemny, **ci**epły, **zi**emia, **dzi**eń, kwie**ci**eń, paź**dzi**ernik

UWAGA!

W drugim przypadku litera *i* jest tylko znakiem miękkości, tzn. **nie pełni roli samogłoski**. Można to rozpoznać po tym, że *i* nie tworzy sylaby, np. *cie- pły, kwie-cień, zie-mia*, gdy tymczasem w słowach: **zi**ma, **ci**sza, ta**ni**, **si**wy litera *i* jest jednocześnie znakiem miękkości i samogłoską: *zi-ma, ta-ni, si-wy*.

Miękkie spółgłoski w pozycji przedsamogłoskowej oraz te zmiękczone przy pomocy kreseczki wymawia się tak samo, tzn. nie słychać wyraźnie *i*.

Przykłady:
ciepły – **ć**ma   **si**ano – **ś**miech   **zi**emia – **ź**ródło

Natomiast w spółgłoskach miękkich, w których *i* pełni rolę znaku miękkości i samogłoski, słychać wyraźnie *i* podczas wymowy.
Porównaj: **ci**epły - **ci**chy, **si**ano – **si**wy, **zi**emia – **zi**mny

A:

* 1. Proszę wpisać w puste miejsca *ś* lub *si*:

A:
1. mie...ąc
2. pro...ć
3. ...wieży
4. ...więto
5. ...miech
6. ...ciana
7. w...adać
8. wie...
9. wła...nie
10. osobi...cie
11. do...wiadczenie
12. ...wiat

B:
1. ...mierć
2. ...erpień
3. ...liczny
4. wygło...ć
5. ...rodek
6. wymy...lić
7. li...ć
8. o...ć
9. kto...
10. u...łować
11. jako...ć
12. ...ła

* 2. Proszę wpisać w puste miejsca *ź* lub *zi*:

A:
1. wyra...ny
2. ...rebak
3. ła...enka
4. pa...dziernik
5. wię...enie
6. gro...ba
7. ...emia
8. ku...nia
9. wo...ć
10. we...!
11. ...mny
12. wyobra...nia

B:
1. zaka...ny
2. wyobra...ć
3. ...ródło
4. Ka...o
5. ...renica
6. gałą...
7. ...ma
8. gu...k
9. ...emniak
10. ...elony
11. bu...a
12. ła...nia

* 3. Proszę wpisać w puste miejsca *ć* lub *ci*:

A:
1. po...ąg
2. osobiś...e
3. ...wiczenie
4. ...eń
5. oś...
6. ś...ana
7. ...sza
8. bab...a
9. ...śnienie
10. ...wier...
11. ...ekawy
12. ch...eć

B:
1. ...emny
2. jakoś...
3. ...astko
4. ...eżki
5. bo...an
6. zapła...ć
7. liś...
8. ...ągle
9. pole...eć
10. ś...eżka
11. ...ma
12. le...eć

* 4. Proszę wpisać w puste miejsca *dź* lub *dzi*:

1. ...więk
2. ...eło
3. uro...ny
4. bu...k
5. ...adek
6. zło...ej
7. ...wig
8. odpowie...
9. nig...e
10. ...ewczyna
11. ...wny
12. nie...wiedź

* 5. Proszę wpisać w puste miejsca *ń* lub *ni*:

A:

1. kwiecie...
2. kuch...a
3. dło...
4. ...eśmiały
5. ś...ć
6. ś...adanie
7. ...ebo
8. ko...
9. piw...ca
10. stycze...
11. kamie...
12. ta...

B:

1. więzie...
2. sierpie...
3. ko...czyć
4. tech...kum
5. ...gdzie
6. wspa...ały
7. bada...e
8. wyraź...e
9. ko...ec
10. ...ewiele
11. ta...ec
12. cie...

*** 6. Proszę uzupełnić przy pomocy: *ś – si, ź – zi, ć – ci, dź – dzi, ń – ni*

Mój ...adek ma uro...ny w pa...dzier...ku. Ka...o jest nie...miały. W ko...ciele było ...mno i ...emno. Ta ...liczna ...ewczyna u...miecha się do mnie. Je...enią li...cie lecą z drzew. Nie ...erpię ...em...aków! A jakie da...e lubisz najbar...ej? Oni wyra...nie u...eszyli się na nasz widok. Moja ła...enka jest ...ebieska, a kuch...a ...elona. Na grubej gałę... ...e... jaki... ...wny ptak. Mu...my już ko...czyć. Jó...o ma ...epłe dło...e. Kot ma wielkie ...renice. Jej ...ecko bierze u...ał w konkur...e. Wypowie... premiera została skomentowana w ...enniku. „Nie ma ryby bez o...ci i kobiety bez złoś...”. Zga... ...wiatło! Jedli...cie już ...niada...e? Gdy spadnie ...nieg, to poje...emy na wie... . Muszę zje...ć co... kwa...nego. Pój...emy w ...rodę na ...wietny film. Sło...ce ...wieci. Ka...a ma bilety w ...ódmym rzę...e. Bę...emy u ...ebie za go...nę. Sło... z naszego ZOO zachorował. Mary...a ma w ży...u szczę...cie. Ma...ek ...cisnął mu rękę. To bardzo ...ekawa powie...ć. Czy pia...no jest ...ęższe niż fortepian?

**B:

1. Proszę wpisać w puste miejsca *s* lub *ś/si*:

A:

1. ...ano
2. ...ny
3. u...ąść
4. ...wit
5. ...owa
6. ...anki
7. ...ama
8. miło...ć
9. ...ostra
10. ...yn

B:

1. o...a
2. pro...ba
3. te...ć
4. ...ekret
5. ro...a
6. Ka...a
7. no...!
8. ...ędzia
9. ...eń
10. ki...ć

2. Proszę wpisać w puste miejsca *z* lub *ź/zi*:

A:

1. Zu...a
2. je...oro
6. ko...a
7. ba...e

B:

1. ...le
2. Ka...a
6. wo...y
7. ga...eta

3. prze...ębienie 8. we...my! 3. ...osia 8. ...oła
4. bu...a 9. ...ródło 4. ...ły 9. gu...k
5. mro...ny 10. wa...on 5. ka...anie 10. pó...no

3. Proszę wpisać w puste miejsca *c* lub *ć/ci:*

A:

1. pra...a 6. pła...ć
2. pała... 7. ...ena
3. wró...ć 8. ...asny
4. kon...ert 9. no...
5. ...ały 10. ...ało

B:

1. pra... 6. ko...
2. ...emny 7. ...sza
3. pa...erz 8. bile...k
4. ...eń 9. ka...
5. ...ałować 10. ...asny

4. Proszę wpisać w puste miejsca *dz* lub *dź/dzi*:

1. ...wonić 7. je...my!
2. ro...aj 8. ...wig
3. ...wić 9. wie...ma
4. ro...ć 10. bu...ć
5. ...eń 11. sie...enie
6. je...my! 12. ...ura

5. Proszę wpisać w puste miejsca *n* lub *ń/ni*:

A:

1. ko...k 6. ta...czyć
2. pa...e 7. li...a
3. więzie...e 8. wi...o
4. zgi...ąć 9. mi...uta
5. Karoli...a 10. błękit...y

B:

1. kamie...ny 6. wrzesie...
2. ko...ecznie 7. powierzch...a
3. po...czochy 8. koro...a
4. wcześ...e 9. kro...ka
5. de...tysta 10. pie...

*** **6.** Proszę uzupełnić przy pomocy: *s, ś/si, z, ź/zi, c, ć/ci, dz, dź/dzi, n, ń/ni*

Moja ...ostra, Ka...a, je...dzi na ...ankach. Ela ma błękit...e po...czochy. Dzi...ejsze kaza...e w naszym koś...ele było ...trasznie nud...e. Zo...a ma ...liczną bu...ę. Nie je...cie kwa...nych ...liwek. Zu...a jest prze...ębiona i pije ...ółka. Poje...my na wie...! Umiesz mówi... pa...erz po polsku? Morder...a udu...ł swoją te...ciową. Eweli...a pięk...e ta...czy. Wie...ma je...dzi no...ą na miotle. ...owa idzie ...pać o ...wicie. Romek ma ręce ...ne z ...mna. Boli go ...ałe ...ało. Po ko...cer...e przez chwilę trwała ...sza. O...a lata ci koło no...a. Masz ...urę w ...pod...ach. Ba...e stoją w wa...o...e na parape...e. Podarowali mu ...wny bu...k, który ...woni co pię... seku...d przez dwie mi...uty. Nie no... tak ...emnych ...ukienek. Czy ten ko...

30

można wypra… w pral…e? Dzi… jest bardzo mro…no. Jaka jest …ena tych …erwonych go…dzików?

***C:

1. Proszę wpisać w puste miejsca **s** lub **sz**:

A:		B:	
1. ka…a	6. ka…a	1. …ala	6. ba…
2. ko…yk	7. …er	2. …os	7. …um
3. ba…ta	8. …osa	3. ki…ony	8. …eroki
4. …ynka	9. pa…	4. …uma	9. pu..ty
5. ka…taniety	10. bo…o	5. ru…ać	10. ko…

2. Proszę wpisać w puste miejsca **z** lub **ż/rz:**

A:		B:	
1. …ebra	6. …ebra	1. …ąd	6. …ąb
2. ró…a	7. …upa	2. …ebrać	7. …ona
3. bu…a	8. wie…a	3. …ebrać	8. do…a
4. ba…a	9. ka…dy	4. gwi..dać	9. gnia..do
5. …egarek	10. …ycie	5. gwia…da	10. ko…eń

3. Proszę wpisać w puste miejsca **c** lub **cz:**

A:		B:	
1. ka…ka	6. …yklon	1. …ekać	6. s…ena
2. uli…a	7. …ęsto	2. pa…ka	7. po…ta
3. …apka	8. …órka	3. …ygaro	8. …oło
4. u…ucie	9. …as	4. pła…	9. …ela
5. …udny	10. wie…ór	5. …ek	10. o…alić

4. Proszę wpisać w puste miejsca **dz** lub **dż:**

1. wie…a   2. …okej   3. …ungla 4. bar…o   5. …banek   6. …em

*** 5. Proszę uzupełnić przy pomocy: **s, sz, c, cz, z, ż/rz, dz, dż.**

Moja …órka …ęsto pła…e. Bar…o lubię …emy, …ery i …osy, ale nigdy nie jadam ka…y. …ebra ma …łamane …ebro. W ten …udny wie…ór chodził bo…o po pia…ku i słuchał …umu mo…a. Ka…a na po…cie jest nie…ynna. …ta…ek …edł …eroką …o…ą i gwi…dał. W …asie bu…y Jó…ek pali …ygara, a Wa…ek papiero…y. …okej zgubił …apkę. Nie cierpię …upy z ki…onych ogórków. …egar na wie…y w…ka…uje …wartą. Daj …ebrakowi …eść …łotych. Nie ru…aj

ko...yka! Czy ka...da gwia...da ma swoją na...wę? On śpiewa
ba...em, a ona ...opranem! Podobają ci się ...ółte ró...e? Ta ba...ta
zostanie ...bu...ona. Ten ...alik jest ...byt wą...ki. Sz...epan ...abrał
mój ...tary ...ary ...weter.

*** D:

1. Proszę wpisać w puste
miejsca *ś (si)* lub **sz**.

1. wie... – wie...
2. ...yna – ...ina
3. Ka...a – ka...a
4. ko... – ko...!
5. ...osa – ...ostra

2. Proszę wpisać w puste
miejsca *ź (zi)* lub **ż/rz**.

1. ...ebra – ...ęba
2. bu...a – bu...a
3. ...ółtko – ...ółko
4. w ...ymie – w ...mie
5. ba...e – (w) ba...e
6. ...ut – ...uta

3. Proszę wpisać w puste
miejsca *ć (ci)* lub **cz**.

1. ...eszę – ...eszę
2. ...ekawy – ...ekać
3. ...oło – ...ało
4. pła...! – pła...!
5. bo...ek – bo...ek
6. ...apka – ...apki
7. ...as – ...asto
8. ...emny – ...emu

4. Proszę wpisać w puste miejsca *dź (dzi)* lub **dz** lub **dż**.

1. ...em – ...eń
2. ...wny – ...wonek
3. ...ób – ...ungla
4. ...okej – ...obak
5. wie...a – wie...ał

*** 5. Proszę uzupełnić przy pomocy *ś/si*, **sz**, *ć/ci*, **cz**, *ź/zi*, **ż/rz**, *dź/dzi*, **dz** lub **dż**

Co ...eń jem ...em wi...niowy. ...emu tu jest tak ...emno? W tym
ba...e są zaw...e ...tu...ne ba...e. Czy w ...mie w ...ymie pada
...nieg? ...ekawe na co on ...eka? Niósł ...ynę i był ...ny z wy...łku.
Ka...a je ka...ę. Czy ...ęba ma duży ...ób? ...otka ...e...y się, że się
...e...esz nową sz...otką. Czy wie... gdzie jest ta wie...? Ta maseczka
składa się z ...ół i ...ółtka. ...ymek no... ...apkę w ...apki. Nie pła...,
Ba...u! Zapła... za mnie! ...e...ek ko...trawę i wkłada ją do ko...y.
...uta lubi bo...ek. To jaki... ...wny bo...ek! Ten ...okej boi się bu...y.
Jej ...ostra ma ładną bu...ę. Po wypadku na ...osie bolą ją ...ebra
i całe ...ało. Czy ...obak mieszka w ...ungli?

Notatki

_____

_____

_____

_____

_____

_____

_____

_____

_____

_____

_____

_____

_____

Pisownia ji, ii, i w formach przypadkowych rzeczowników zakończonych na -ia, -ja

4

Rzeczowniki, które w mianowniku liczby pojedynczej kończą się na *-ja*, w dopełniaczu, celowniku i miejscowniku liczby pojedynczej, a także czasem w dopełniaczu liczby mnogiej kończą się na:

* *-ji* po spółgłoskach **c, s, z** (*zgodnie z wymową*), np.

kola**cja** – kola**cji**, poe**zja** – poe**zji**, Ro**sja** – **Rosji**

* *-i* po samogłoskach (*niezgodnie z wymową*), np.

nadzie**ja** – **nadziei**, szy**ja** – szy**i**, ale**ja** – *alei*

Rzeczowniki, które w mianowniku liczby pojedynczej kończą się na *-ia*, w dopełniaczu, celowniku i miejscowniku liczby pojedynczej, a także w dopełniaczu liczby mnogiej kończą się na:

* *-ii* w wyrazach zapożyczonych (wymawia się *-ji*), np.

ortogra**fia** – ortogra**fii**, ar**ia** – ar**ii**, Dan**ia** – Dan**ii**

* ***-i*** w wyrazach rodzimych (lub za takie uważane), np.

ziem**ia** – ziem***i***, cioc**ia** – cioc***i***, Gdyn**ia** – Gdyn***i***
* Również końcówkę ***-i*** mają w tych samych, co powyżej, przypadkach rzeczowniki zakończone na ***-ea***, np.

Kor**ea** – Kore***i***, id**ea** – ide***i***

* Czasowniki: *stać, bać się, kroić, stroić* odmieniają się:
st**o***j**ę*, sto***i*** sz, sto***i***, sto***i*** my, sto***i*** cie, st**o***ją*
* Zaimki: mó**j**, mo**j**a, mo**j**e (itd.),
ale: mo***i***, mo***i*** ch, mo***i*** mi (itp.)

* Po innych spółgłoskach niż ***c, s, z*** pisze się ***i*** mimo, że słychać ***j***, np.
b**i**ały, p**i**asek, kw**i**at, f**i**ołek, m**i**asto, lin**i**a, d**i**ament,
d**i**eta, sympat**i**a, stud**i**ować, k**i**osk, monarch**i**a

ĆWICZENIA

1. Podane rzeczowniki proszę napisać w dopełniaczu

Przykład: Grecja – ***Grecji***

1. Ania – ....   9. kawiarnia – ....
2. stacja – ....   10. wersja – ....
3. biologia – ....   11. encyklopedia – ....
4. poczekalnia – ....   12. nadzieja – ....
5. Norwegia – ....   13. geografia – ....
6. Słowacja – ....   14. idea – ....
7. chemia – ....   15. lilia – ....
8. stocznia – ....   16. kuchnia – ....

2. Podane rzeczowniki proszę zapisać w mianowniku:

Przykład: Korei – ***Korea***

1. uczelni – ....   9. teorii – ....
2. Marii – ....   10. Bośni – ....

3. restauracji – . . . .   11. kolei – . . . .
4. latarni – . . . .   12. sesji – . . . .
5. żmii – . . . .   13. komedii – . . . .
6. akcji – . . . .   14. kwiaciarni – . . . .
7. orchidei – . . . .   15. konwalii – . . . .
8. kokieterii – . . . .   16. winiarni – . . . .

3. Proszę uzupełnić przy pomocy **i** lub **j**:

Z...edz chleb z m...odem. Ze wszystkich kw...atów najbardziej lub...ę f...ołki i h...acynty. Na którym peronie sto... nasz pociąg? Dali mo...m dzieciom dużo prezentów. Nie bo...cie się burzy? Przyjdź ze swo...m chłopakiem. Mi...ał re...on walk obo...ętnie. Mam dwa bilety na prem...erę do Teatru Starego. Dlaczego two... synowie nic nie jedzą? Ale się wystro...łaś! Widzieliście film „Sami swo...”? Nie, obe...rzeliśmy wczoraj... „Pop...ół i d...ament”. Mógłbyś pokro...ć chleb? P...asek na tamtej plaży jest prawie b...ały. Napisz mu o swo...ch kłopotach. Mo...a sąsiadka ma piękne stro...e. Nasz kot bo... się odkurzacza. Proszę przygotować d...alog pt.: „Zakupy w k...osku". Narysuj lin...ę p...onową. Nasza arm...a zmienia mundury. Lubisz kalaf...ory? Pokaż mi two...ą nową suk...enkę! Dawno nie widzieliśmy two...ch sióstr. Gdzie leży Abisyn...a? W tym reg...onie jest dużo jezior. Strasznie się bo...ę tego egzaminu! Goście sto...ą przed drzwiami.

** 4. Proszę uzupełnić przy pomocy *-i, -ii, -ji*

Każdego dnia po kolac..., z tomem poez... w ręce planowałem wykorzystanie fer... . Przejrzałam zbiór fotograf... należący do Mar... i Felic... . Na geograf... uczyliśmy się o Hiszpan... i Franc... . W ogródku Zof... rośnie dużo bratków, nasturc... i konwal... . Wczoraj byliśmy na uroczystej akadem... z okaz... Dnia Matki. W czasie wakac... pojedziemy do Angl... i Szwec... . On ma na szy... znak od ukąszenia żmi... . Umówiliśmy się na ob...ad przy Szóstej Ale... . Czy nie ma już żadnej nadzie...? Wyraża się o Brazyl... bez sympat... . Dziś nie było ani histor..., ani relig... . Nie masz rac... – nie wszystkie zd...ęcia zginęły! Opowiedz wszystko po kole... . W telewiz... był program o ekonom... . Pan X nie należy do żadnej part... . W tej sytuac... posłuchajmy ar... z „Traviatty". Nie dawaj nian... drugiej porc... tortu – ona jest na d...ecie. M...etek marzy o podróży do Turc... i Eston... .

** **5**. Proszę uzupełnić przy pomocy *-i, -ii, -ji*:

W czasie lekc... o Austral... wszedł dyrektor. Nie lubię ani ko-
med..., ani filmów akc... . Gdzie są twoje okulary – w kuchn... czy
w sypialn...? Na stac... w poczekaln... było zimno. Jutro jadę do
cioc... Alic... do Gdyn... . Jakie jest twoje zdanie na temat euta-
naz...? Janek zdał egzamin z chirurg... na czwórkę, a z anatom... na
piątkę. Powiedziałeś już rodzicom o tró... z biolog...? Poszukaj tego
słowa w encykloped... . Dostałam broszkę w kształcie orchide... .
Czy jego wujek pracuje w stoczn... czy w kopaln...? Piotrek pisze referat o leukem..., a Mar...ola o anem... . Lidka nie chce stud...ować
socjolog... . Słyszeliście o nowym szefie polic...? Niestety, nie ma
w tym żadnej eleganc..., raczej trochę ekstrawaganc... . Oni mają w
jadaln... bardzo dużo kwiatów. W tym roku pojedziemy na Sycyl...ę,
a potem może do Dan... . Idziesz do czyteln...? Napisz kilka infor-
mac... o swojej uczeln... . Byłeś kiedyś w Jastarn...? Spotkam się
z Jul...ą w bibl...otece.

Pisownia ą, on, om, ę, en, em 5

Ą, Ę pisze się w wyrazach rodzimych (lub za takie uważane), np.

często, więc, wąsy, dąb, ręka, brązowy, wędrować, kąpiel, kolęda

Ą pisze się w wyrazach rodzimych, gdy wymienia się na **ę**:

błąd – błędy   mąż – mężny
piątka – pięć   dąb – dębowy
pamiątka – pamiętny   rączka – ręka

On, Om, En, Em pisze się w wyrazach obcego pochodzenia, np.

pompa, recenzja, talent, kontrola, kontrast, komplikować, pensja, temperament, fragment, dentysta, cenzura, plomba, front, benzyna, konduktor, dyrygent, anons, akcent, prezent

* **Ą, Ę zgodnie z wymową** pisze się przed
spółgłoskami:

- **f, w, s, z, ś, ź, sz, ż, ch,** np.
  wąsy, gęsty, pąsowy, siąść, gęś, wąż, cięż-
  ki, język, gałąź, węch

* **Ą, Ę niezgodnie z wymową** pisze się
przed:

- **p, b** (słychać **om, em**): trąbić, ząb, gołąb,
  tępy, bęben, głęboki
- **t, d, c, dz, cz**: (słychać **on, en**): wątroba,
  kąt, błąd, tętno, pędzel, tęcza
- **ć, dź** (słychać **oń, eń**): zamknąć, wziąć,
  będzie, pięć
- **k, g** (słychać **on, en** tylnojęzykowe): mąka,
  pociąg, błękitny, Węgry

* **Om, Em zgodnie z wymową** pisze się przed
spółgłoskami:

- **p, b**: bomba, pompa, romb, tempo, stempel
- **t, d, c**: kontynent, akcent, blondyn, koncert

* **Om, Em, On, En niezgodnie z wymową**
(słychać **a, ę**) pisze się przed:

- **f, w, s, z, sz, ch**: komfort, konwój, konser-
  wa, konstytucja, benzyna, sens

UWAGA!

trąba – trombita
tępy – tempo
skąpy – pompa
zakręt – kontynent
mętny – mentalność
więc – inteligencja
tętno – petent

Ę pisze się (wymawia się **e**)

- w 1. osobie l. poj. czasowników I i II koniuga-
  cji: piszę, piję, palę, mówię, tłumaczę, słyszę
- w formach czasu przeszłego czasowników na
  -ąć: wzięłam, płynęliśmy, cofnęły, kichnęła

- w mianowniku i bierniku. l. poj. rodz. n.: zwierzę, imię, ramię
- w bierniku l. poj. rodz. ż. i m. na -a: książkę, córkę, Olę, telewizję, artystę, poetę

Ą pisze się:

niezgodnie z wymową (słychać o)
- w końcówkach czasowników na -ąć: zamknąć, zdjąć, płynąć, wziąć
- w formach czasu przeszłego tych czasowników: wziąłem, zapiąłeś, minął, połknął

zgodnie z wymową:
- w 3. os. l. mn.: powtarzają, tańczą, chcą, idą
- w narzędniku rzeczowników l. poj. rodz. ż.: literaturą, kobietą, wodą, matką, Alą
- w bierniku i narzędniku przymiotników l. poj. rodz. ż.: ciekawą, polską, zimną, zieloną, lekką
- w bierniku zaimków: moją, naszą, waszą

EM pisze się
w 1. os. l. poj. czasowników: umieć, wiedzieć, rozumieć:
umiem, wiem, rozumiem

Om pisze się
w celowniku l.mn. rzeczowników:
książkom, matkom, chłopcom, kotom, zeszytom, dzieciom

En, On pisze się
przed przyrostkami -ka, -ko: okienko, koronka, słonko

1. Proszę wpisać odpowiednią literę lub litery.

Przykład: dąb (ą/om)

1. z...b (ą/om) ....
2. s...da (ą/on) ....
3. m...ż (ą/on) ....
4. rem...t (ą/on) ....
5. k...fort (ą/om) ....
6. w...ż (ą/on) ....

7. bł...d (ą/on)
8. pl...ba (ą/om)
9. rz...d (ą/on)
10. bl...dyn (ą/on)
11. k...kurs (ą/on)
12. gał...ź (ą/on)

2. Proszę utworzyć przymiotniki od podanych rzeczowników:

Przykład: mosiądz – **mosiężny**

1. pieniądz – *pieni...żny*
2. gąszcz – *g...sty*
3. pająk – *paj...czy*
4. pamiątka – *pami...tny*
5. gołąb – *goł...bi*

6. majątek – *maj...tny*
7. dąb – *d...bowy*
8. zając – *zaj...czy*
9. urząd – *urz...dowy*
10. wzgląd – *wzgl...dny*

3. Proszę uzupełnić słowa o znaczeniu podobnym do podanych:

Przykład: umiejętność – tal**en**t

1. stwierdzić – *sk...statować*
2. urywek – *fragm...t*
3. podarunek – *prez...t*
4. znaczenie – *s...s*
5. ogłoszenie, zawiadomienie – *an...s*
6. inteligentny – *m...dry*
7. przeciwieństwo – *k...trast*
8. temperatura – *gor...czka*
9. nieprzejrzysty, niejasny – *m...tny*
10. utrudniać – *k...plikować*

4. Podane bezokoliczniki proszę zamienić na formy osobowe czasu przeszłego:

Przykład: kląć: on **klął**

1. wziąć – my (r.ż.) ......
2. zapiąć – ja (r.m.) .....

7. cofnąć – oni ....
8. zająć – ty (r.m.) ....

3. płynąć – wy (r.ż.) . . . . .
4. kichnąć – ty (r.ż.) . . . . .
5. zasnąć – on . . . .
6. dotknąć – ono . . . .

9. ciągnąć – on . . . .
10. zamknąć – ja (r.ż.) . . . .
11. odjąć – my (r.m.) . . . .
12. krzyknąć – one . . . .

* 5. Proszę uzupełnić przy pomocy *ę, ą, en, on, em, om*

Umi... śpiewać ari... z „Carmen". Oni powtarzaj... gramatyk... włosk..., a jutro b. .d... uczyć się ortografii. Moi rodzice znaj... Ul... i jej córk..., Agnieszk... . Na poczcie czynne są tylko dwa oki...ka. Wszyscy podziwiaj... tego artyst... . Tłumacz... chłopc..., dziewczynk..., uczni... i stud...t..., że rzeczowniki *zwierz...* i *rami...* odmieniaj... się nieregularnie. Nie rozumi..., co oni mówi... . Czy twoi bracia umiej... już czytać? Narysuj duże sł...ko. D...tyści pl...buj... z...by z rutyn... . Przyjad... z moj... kuzynk... . Włożyła zielon... suki...k... i seledynow... kamizelk... ozdobion... kor...k... . Nie mów o tym dzieci... . Ta ksi...żka jest bez s...su.

* 6. Proszę uzupełnić przy pomocy *ę, ą, en, on, em, om*

To jest k...pozycja na b...ben i wiol...czelę. Rec...z...t bardzo chwalił jego tal...t. Podobno ten dyryg...t zawsze k...pie się przy muzyce. W tym okresie cz...sto śpiewamy kol...dy. Czy tr...bacz gra na tr...bce czy na tr...bicie? Pewien t...gi bl...dyn zasn...ł na k...cercie. Pojechał poci...giem na k...kurs pios...ki na W...gry. Sklep został zamkni...ty z powodu rem...tu. Ksi...ż... zna ksi...dza, który nie ma z...bów. Ten k...duktor jest podobno sk...py i t...py. St...pel na kopercie jest niewyraźny. Czy „pet...t" i kli...t" to synonimy? P...pa b...zynowa jest zepsuta. To odpowiedź na twój an...s. Cz...sto mieszkamy w k...fortowym hotelu. Czy t...cza ma pi...ć kolorów? Prezyd...t ma g...ste w...sy i bł...kitne oczy. Janek ma goł...bie serce. Narysuj r...mb br...zow... kredk... . Jak ma imi... twój m...ż? Popełnił bł...d rysuj...c k...t prosty. Po ile są te k...serwy mi...sne? Boli mnie r...ka i w...troba. Czy ten bas... jest gł...boki? Fragm...t tego utworu wydał nam się m...tny i sk...plikowany.

Notatki

_____

_____

_____

_____

_____

_____

_____

_____

_____

_____

_____

_____

Pisownia ó i u

6

Ó pisze się

1. gdy wymienia się na **o** lub **e** w innych formach tego wyrazu lub w wyrazach pokrewnych, np.

mr**ó**z – mr**o**źny	pok**ó**j – pok**o**je,
mi**ó**d – mi**o**dy	zi**ó**łka – zi**e**le,
prz**ó**d – prz**e**dni	sz**ó**sty – sz**e**ść

2. w dopełniaczu liczby mnogiej rzeczowników
rodzaju męskiego i niektórych rzeczownikach
rodzaju żeńskiego i nijakiego, np.

chłopc**ó**w, zeszyt**ó**w, p**ó**l, kr**ó**w

3. w zakończeniach: **-ów**, **-ówka**, **-ówna**, np.

Krak**ó**w, Tarn**ó**w, końc**ó**wka, widok**ó**wka,
Iłłakowicz**ó**wna, Nowak**ó**wna

WYJĄTKI: skuwka, zasuwka

4. W niektórych wyrazach mimo braku wymiany na *o* lub *e*, np.

ch**ó**r	m**ó**zg	sk**ó**ra
c**ó**rka	og**ó**ł	str**ó**ż
dop**ó**ki	og**ó**rek	szczeg**ó**ł
gł**ó**wny	oł**ó**wek	wkr**ó**tce
g**ó**ra	opr**ó**cz	tch**ó**rz
jask**ó**łka	powt**ó**rzyć	wiewi**ó**rka
J**ó**zef	p**ó**źno	włócz**ę**ga
kł**ó**tnia	pr**ó**ba	wr**ó**bel
kr**ó**l	r**ó**wny	wr**ó**żba
kr**ó**tki	r**ó**ża	źr**ó**dło
kt**ó**ry	r**ó**żny	ż**ó**łty

ó nigdy nie występuje na końcu wyrazu;
na początku pojawia się tylko w słowach:
ósemka, **ó**w, **ó**wdzie, **ó**wczesny

U pisze się

1. w zakończeniach rzeczowników i przymiotników:

-uni, *-usi*, *-utki*, *-uteńki*, np.
mal*uni*, mal*usi*, mal*utk*i, mal*uteńki*

-unia, np.
ciot*unia*, Ew*unia*

-uś, *-usia*, np.
tat*uś*, Jac*uś*, mam*usia*, cór*usia*

-uszka, *-uszek*, np.
pod*uszka*, dzban*uszek*

-unek, *-unka*, np.
rach*unek*, rys*unek*, opiek*unka*

-ulec, np. bud*ulec*, ham*ulec*

-un, np. opiek*un*, zwiast*un*

-uch, np. star*uch*, leni*uch*

-us, np. dzik*us*

2. w zakończeniach czasowników zawierających cząstkę *-uj-* (mimo wymiany na **o**), np.
rys*uj*ę, rys*uj*esz, rys*uj*ą

1. Proszę utworzyć liczbę mnogą.

Przykład: st**ó**ł – st**o**ły

1. nap**ó**j – . . . .
2. wz**ó**r – . . . .
3. mr**ó**z – . . . .
4. l**ó**d – . . . .
5. d**ó**ł – . . . .
6. pok**ó**j – . . . .

7. nastr**ó**j – . . . .
8. sok**ó**ł – . . . .
9. wiecz**ó**r – . . . .
10. gr**ó**b – . . . .
11. spos**ó**b – . . . .
12. ogr**ó**d – . . . .

2. Proszę utworzyć dopełniacz liczby mnogiej.

Przykład: brzoza – brz**ó**z

1. pole – . . . .
2. koza – . . . .
3. koło – . . . .
4. pszczoła – . . . .
5. noga – . . . .
6. woda – . . . .

7. krowa – . . . .
8. głowa – . . . .
9. rola – . . . .
10. sowa – . . . .
11. pora – . . . .
12. osoba – . . . .

3. Proszę użyć dopełniacza liczby mnogiej.

Przykład: 2 samoloty – sześć samolot**ó**w

1. trzy włosy – mało . . . .
2. dwa samochody – dużo . . . .
3. cztery słowniki – 6 . . . .
4. trzy koty – 5 . . . .
5. trzy listy – 7 . . . .
6. dwaj studenci – dwóch . . . .
7. To są lwy – boję się . . . .
8. Mam długopisy – nie mam . . . .
9. Lubię kotlety – nie lubię . . . .
10. Znam jednego artystę – znam wielu . . . .
11. Noszę drogie buty – nie noszę drogich . . . .
12. Widziałam już te filmy – nie widziałam jeszcze tych . . . .

4. Proszę wyjaśnić znaczenie podanych słów.

Przykład: kartk**ó**wka – (praca) zadanie „kartkowe" (pisane na kartce)
1. wiśni**ó**wka – wódka . . . .
2. orzech**ó**wka – wódka . . . .
3. klas**ó**wka – praca . . . .
4. dwurzęd**ó**wka – marynarka . . . .
5. międzynarod**ó**wka – pieśń . . . .
6. krem**ó**wka – ciastko . . . .
7. plaż**ó**wka – suknia . . . .
8. groch**ó**wka – zupa . . . .
9. siatk**ó**wka – piłka (gra) . . . .
10. końc**ó**wka – część . . . .
11. ciężar**ó**wka – samochód . . . .
12. mięt**ó**wka – cukierek . . . .

5. Proszę uzupełnić tabelę.

rzeczownik	przymiotnik	przysłówek	czasownik
góra	górny	górnie	górować
tchórz			
		chóralnie	–
	różowy		
			kłócić się
		po królewsku	
próba			
			równać
żółć			

6. Proszę przeczytać, podkreślić **ó**. Do których wyrazów można zastosować poznane reguły? Proszę przepisać dyktując sobie głośno.

Ten ogród jest wielki. Góralski strój bardzo mi się podoba. Mój pokój jest mały. Północny wiatr przyniesie mróz. Lód na rzece jest jeszcze gruby. Pan Wójt mógł przynieść trochę orzechów. Nie jadam obiadów. Z czego słynie Jędrzejów? Potrzebna mi jeszcze złotówka. Nie bój się! Wróbel ostrożnie niósł piórko w dzióbku. Czy dojadę do dworca ósemką? Postójmy trochę przy źródle. Stchórzył i nie poszedł na egzamin. Winda jedzie w dół. Marek ostatnio bardzo wyrósł. Wykupiliście już miejscówki? Królowa pokłóciła się z królem o żurawiny.

7. Proszę uzupełnić przy pomocy *ó* i wyjaśnić tę pisownię.

Na og...ł kr...l wstaje p...źno. Na pr...żno kr...lowa pr...buje r...żnych sposob...w, aby to zmienić. Opr...cz sk...rzanego paska kupię jeszcze pł...cienną kr...tką sp...dnicę w r...że i wł...czkową czapkę. J...zio dostał ż...łwia, kt...ry ma już 20 lat. Wiewi...rka i kr...lik poszli z wizytą do przepi...rki. Przyjaci...łka sikorki, czarnopi...ra jask...łka, buduje nowy dom. Na g...rze będą ż...łte tapety, a na dole r...żowe. Nowak...wna pokł...ciła się z Jeleni..wną. On się stale wł...czy koło tego źr...dła. Szczeg...lnie trzeba chronić m...zg. Wyślemy im widok...wkę. Str...ż jej powt...rzył, że miniaturowe cz...łno będzie stać na p...łce. Ch...r anioł...w śpiewał c...rce wr...żki. Dop...ki bedziesz tch...rzem, nie doststaniesz oł...wka! Pan Wr...bel kupił kilo og...rk...w. Trzeba wymienić żar...wkę.

8. Proszę pogrupować wyrazy.

skórzany – córunia – góra – spóźnić się – krótko – skórny – skłócony – wyszczególnić – opóźnienie – wróżyć – pokłócić się – córeczka – skrócić – żółwiowy – wzgórze – szczególnie – żółwi – wróżba

żółw – żółwiowy – żółwi
góral – _____
skóra – _____
krótki – _____
wróżka – _____
późno – _____
kłótnia – _____
szczegół – _____
córka – _____

9. Proszę ułożyć co najmniej 5 zdań z *ó* (w każdym zdaniu powinny być po 3 wyrazy z *ó*)

1. . . . .
2. . . . .
3. . . . .
4. . . . .
5. . . . .

u

1. Podane zdrobniałe formy przymiotnika proszę zamienić na formy podstawowe:

Przykład: chudziusieńki – ***chudy***, maluteńki – ***mały***, jaśniutki – ***jasny***

1. suchutki – . . . .
2. zimniuteńki – . . . .
3. pijaniusieńki – . . . . . .
4. milutki – . . . .
5. czarniusieńki – . . . . . .
6. tłuściutki – . . . .

7. mięciuteńki – . . . .
8. głupiutki – . . . .
9. leciusieńki – . . . .
10. słodziutki – . . . .
11. cichuteńki – . . . .
12. cieplutki – . . . .

2. Podane imiona proszę zamienić na formy zdrobniałe:

Przykład: Jacek – ***Jacuś***, Ela – ***Elunia***

1. Piotr . . . .
2. Marek . . . .
3. Tomek . . . .
4. Franek . . . .
5. Heniek . . . .

6. Ewa . . . .
7. Marta . . . .
8. Ala . . . .
9. Ola . . . .
10. Krysia . . . .

3. Od podanych bezokoliczników proszę utworzyć formy osobowe:

Przykład: imponować – (on) ***imponuje***

1. pakować – (ty) . . . .
2. rachować – (my) . . . . . .
3. budować – (ja) . . . .
4. potrzebować – (wy) . . .
5. parkować – (ona) . . . . .
6. kupować – (ja) . . . .

6. komponować – (on) . . . . . .
7. pielęgnować – (one) . . . . . .
8. częstować – (ja) . . . .
9. prasować – (my) . . . .
10. gotować – (ty) . . . .
12. zajmować – (wy) . . . .

4. Proszę uzupełnić tabelkę

rzeczownik	przymiotnik	przysłówek	czasownik
pustka	pusty	pusto	pustoszyć
brud			
			głuchnąć
reguła			

49

	paskudny		
burza			
		kulturalnie	–
			tłuścić

5. Proszę przeczytać, podkreślić *u*. Do których wyrazów można zastosować poznane reguły? Proszę przepisać dyktując sobie głośno.

Boguś studiuje w Portugalii. Słucham audycji o żubrach i żurawiach. Wujek Jurek lubi żurek. Ta staruszka jest głucha. Kubuś nosi cieplutką, żółciutką czapusię. W czasie pauzy uczniowie czytają lektury. Uważaj – kałuża! Anusia ma brudną bluzkę. Autor wiersza o malutkim garnuszku – to niziutki i skromniutki młodzieniec. Trudno będzie naprawić zepsuty hamulec. Mateusz podróżuje po Białorusi. On ma poduszkę ze sztucznego futra. W południe pod kościołem jest tłum ludzi.

6. Proszę uzupełnić przy pomocy *u* i wyjaśnić tę pisownię.

Jar...ś rys...je niebieści...tkie kwiat...szki. Danusia ma króci...tką s...kienkę i leci...tki kapel...sik z wązi...teńką wstążeczką. Bur...ś wrócił ze spaceru mokr...teńki i cal...tki ubłocony. Zeps...ł mi się b...dzik. Uważam, że ten artyk...ł jest n...dny, tr...dny, a do tego jeszcze pask...dny! Kaziu, pokaż w...jkowi swój rys...nek. Ten r...dy Bol...ś to leni...ch i dzik...s! Opiek...nki przygotow...ją obiad dla mal...chów. Ten siwi...teńki star...szek podobno pięknie mal...je. Chir...rg zmieni panu opatr...nek. Mam...siu, ten dzban...szek jest p...sty! Jej cór...nia haft...je ch...steczkę dla bab...ni.

7. Proszę pogrupować podane wyrazy

> dziurawić – wujostwo – bluza – biurowy – zgłupieć – musztardówka – głupota – biurko – gruszkówka – gruszka – wuj – futerkowy – wyrzucać – musztardowy – wyrzutnia – futrzany – dziurawy – bluzeczka – głupota

głupi – głupota – zgłupieć
biuro – _____
wujek – _____
futro – _____

bluza – _____

wyrzut – _____

musztarda – _____

grusza – _____

dziura – _____

8. Proszę ułożyć co najmniej 5 zdań z **u** (w każdym zdaniu powinny być po 3 wyrazy z **u**)

1. ....

2. ....

3. ....

4. ....

5. ....

ó czy *u*

Proszę połączyć w logiczne pary wyrazy z kolumny A i B i ułożyć z nimi co najmniej 5 zdań

A:
1. kukułka
2. wróbel
3. kożuch
4. opiekun
5. żubr
6. król
7. Jacuś
8. burza
9. żółw
10. wujek

B:
a. głuchy
b. góralski
c. głupi
d. różowy
e. żółty
f. krótki
g. brudny
h. malutki
i. trudny
j. zarozumiały

1. ....

2. ....

3. ....

4. ....

5. ....

2. Rozsypanka. Proszę poukładać rozsypane wyrazy w zdania.

Przykład: mojego zachód wnuczka maluje późny słońca wujka

Wnuczka mojego wujka maluje późny zachód słońca.

1. duży tatuś pakunek niósł

. . . .

2. miód z lubię konfitury i truskawek

. . . .

3. na spór mur niziutki o trwa budowie

. . . .

4. panuje wiewiórki nastrój dziupli smutny w

. . . .

5. Józia malutka i nasturcje żółte róże hoduje ogródku w

. . . .

6. trawie na mięciuteńka bielusieńka i leżała zieleniutkiej poduszka

. . . .

7. ta uwaga hamulce ciężarówka ma zepsute

. . . .

8. grochówkę żurek żubrówkę i ci ugotuję podam albo

. . . .

9. potrzebna gumka mi twoja ołówka do

. . . .

10. w ból czuł uporczywy uchu lewym

. . . .

3. Proszę przeczytać, podkreślić *u* pojedynczą kreską, a *ó* – podwójną. Proszę przepisać dyktując sobie głośno.

Skromniutka brzydulka i kulturalny leniuch wzięli ślub. Wiśniówka i orzechówka są w lodówce. Ten dzikus Feluś zamieszkał w leśniczówce. Kupujcie delikatniutkie pieluszki i pasty do zębów! Wróbel kąpie się w brudnej kałuży. Od wujka dostałam żółty obrus na mój okrągły stół, a od babuni bursztynowy naszyjnik. Jaka jest różnica między „próżny" i „pusty"? Dobra wróżka siedziała przy źródle i myślała o swojej przyjaciółce. Nie bój się żubra! Czy zupa żółwiowa jest tłusta? Przyniósł mi kilka długopisów i pióro. Z testu były 2 szóstki, 1 piątka, 3 czwórki, 5 trójek i 2 dwójki. Mamusia obserwuje swoją córeczkę. Zamówimy „jaskółcze gniazda" czy ślimaki? Uwielbiam słodziutkie gruszki. Narysujcie duże kółka. Gdzie jest słój ze spirytusem? Ten włóczęga jest pijaniusieńki.

4. Proszę uzupełnić przy pomocy *u* lub *ó*.

Nie l...bię białych r...ż ani czerwonych goździk...w. Pies wr...cił ze spaceru cal...tki mokry. M...j dziadzi...ś nigdy nie był tch...rzem. Wich...ra poprzewracała ...le. Te szare chm...ry wr..żą b...rzę. Piłeś kiedyś gr...szk...wkę? W parku jest sporo śmietnik...w. Ze wszystkich w...d mineralnych najbardziej l...bię „OA". Ten projektant lans...je kr...ci...tkie sp...dniczki i mn...stwo g...zik...w przy bl...zce. Zaprosili g...ralskich m...zykant...w. Bab...nia częst...je pączkami z r...żą. Kr...l był niezr...wnanym m...wcą. Co będzie wcześniej – wsch...d księżyca czy zach...d słońca? Brak...je tu dobrych kelner...w. Polak...wna dostała dziś dw...jkę z rys...nk...w. Jutro będzie kartk...wka z końc...wek rzeczownik...w. Jar...ś tres...je swojego czarni...sieńkiego wilcz...ra. Ten schl...dny star...szek był kiedyś taks...wkarzem. Nie r...b takiej miny! Poproszę o nap...j z lod...wki. Pan z mal...tką br...dką przyni...sł jej b...kiet polnych kwiat...w. Jaki ustr...j pan...je w B...łgarii? Ten n...dny utw...r zeps...ł nam nastr...j! Czy Głog...w jest dużym miastem? Bol...ś nie tren...je zbyt dł...go z tą dr...żyną. Nie ofiarow...je się kakt...s...w. Prosimy na pr...bę wszystkich aktor...w! Niechl...jny podr...żny jadł tł...stego k...rczaka i pił w...dkę. ...wczesny dyrektor miał kolekcję miniaturowych s...w i samochod...w.

rz pisze się

1. gdy wymienia się na *r* w innych formach danego wyrazu lub w wyrazach pokrewnych, np.

   ma*rz*ec – ma*r*ca, wzgó*rz*e – gó*r*a, mąd*rz*y – mąd*r*y

2. w zakończeniach:

   -arz, -erz, -mierz, -mistrz, np.
   mal*arz*, kołni*erz*, Kazi*mierz*, zegar*mistrz*

3. po spółgłoskach:

p: p*rz*ykład, up*rz*ejmy, p*rz*yjaciel, p*rz*yroda, sp*rz*ątać

b: b*rz*uch, b*rz*ydki, b*rz*oza, b*rz*oskwinia, dob*rz*e

t: t*rz*y, t*rz*eba, t*rz*cina, st*rz*elać, st*rz*ykawka, ot*rz*ymać

d: d*rz*ewo, d*rz*wi, d*rz*emać, d*rz*azga, pod*rz*eć

k: k*rz*esło, k*rz*ywy, K*rz*ysztof, sk*rz*ypce, sk*rz*yżowanie

g: g*rz*ebień, G*rz*egorz, g*rz*eczny, g*rz*yb, og*rz*ewanie

ch: ch*rz*an, ch*rz*eścijanin, ch*rz*ąkać, ch*rz*ąszcz

w: w*rz*esień, w*rz*ucić, w*rz*eszczeć, w*rz*ący

j: uj*rz*eć, spoj*rz*eć, przej*rz*ysty

WYJĄTKI:

* p*sz*enica, p*sz*czoła, P*sz*czyna, ks*z*tałt
zaw*sz*e, w*sz*ystko, w*sz*ędzie

* formy stopnia wyższego i najwyższego przymiotników, np. głup**szy**, najgłup**szy**, lep**szy**, najmłod**szy**, ładniej**szy**

4. w wielu wyrazach mimo braku wymiany na **r**, np.

bu**rz**a	po**rz**eczka	towa**rz**yski
ja**rz**ębina	**rz**ąd	twa**rz**
ja**rz**yna	**rz**adki	u**rz**ąd
ko**rz**eń	**rz**eśki	ude**rz**yć
ku**rz**	**rz**eźba	wa**rz**ywa
Mu**rz**yn	**rz**ecz	wie**rz**ba
na**rz**ędzie	**rz**eka	wie**rz**ch
na**rz**ekać	**rz**epa	zmie**rz**ch
nietope**rz**	**rz**etelny	zo**rz**a
o**rz**ech	**rz**odkiewka	zwie**rz**ę
pęche**rz**	**rz**ucać	
po**rz**ądek	tchó**rz**	

ż *pisze się*

1. gdy wymienia się na:

g, np. odwa**ż**ny – odwa**g**a, mo**ż**emy – mo**g**ę
dz, np. pienię**ż**ny – pienią**dz**e, mosię**ż**ny – mosią**dz**
z, np. ka**ż**e – ka**z**ać, mro**ż**ony – mró**z**
ź (zi), np. zaka**ż**enie – zaka**ź**ny, wo**ż**ę – wo**zi**ć
s, np. ni**ż**ej – ni**s**ko, bli**ż**ej – bli**s**ko

2. w niektórych zakończeniach **-aż, -eż** (najczęściej w wyrazach obcego pochodzenia), np. report**aż**, młodzi**eż**, gar**aż**, bag**aż**, mont**aż**, mas**aż**, sprzed**aż**, odzi**eż**, band**aż**, kradzi**eż**

3. po literach **l, ł, r**, np.

l**ż**ejszy, mał**ż**eństwo, oskar**ż**enie

4. po **n** w wyrazach zapożyczonych, np. aranżacja, rewanż, oranżada

5. w wielu wyrazach, w których nie można zastosować powyższych reguł

ciężki	mżawka	żądać
drożdże	nożyczki	żeglarz
duży	podróż	żelazko
dyżur	żyletka	żeński
jeż	pożyczyć	żółty
jeżyna	pożytek	żur
każdy	straż	życiorys
krzyżówka	wieża	życzyć
księżyc	żaden	żywy
łóżko	żakiet	żongler
mężczyzna	żarówka	
mnożenie	żart	

ĆWICZENIA

rz

1. Od podanych słów proszę utworzyć przymiotniki.

Przykład: dworzanin – ***dworski***

1. marzec – . . . .   7. morze – . . . .
2. piłkarz – . . . .   8. dworzec – . . . .
3. starzec – . . . .   9. żeglarz – . . . .
4. wierzę – . . . .   10. (na) górze – . . . .
5. żołnierz – . . . .   11. mędrzec – . . . .
6. Sandomierz – . . . .   12. aptekarz – . . . .

2. Proszę zamienić mianownik na miejscownik.

Przykład: zamiar – ***zamiarze***

1. gitara – . . . .   7. litera – . . . .
2. ofiara – . . . .   8. spacer – . . . .

3. opera – . . . .   9. wzór – . . . .

4. jezioro – . . . .   10. kura – . . . .

5. kolor – . . . .   11. afera – . . . .

6. mundur – . . . .   12. architektura – . . . .

3. Proszę utworzyć
A: liczbę mnogą.   **B:** rodzaj męski

Przykład: *Przykład:*
reżyser – **reżyserzy**   *harcerka –* **harcerz**

  1. aktor – . . . .   1. rzeźbiarka – . . . .

  2. dyrektor – . . . .   2. dziennikarka – . . . .

  3. profesor – . . . .   3. lekarka – . . . .

  4. dekorator – . . . .   4. pielęgniarka – . . . .

  5. kompozytor – . . . .   5. tancerka – . . . .

  6. akwizytor – . . . .   6. malarka – . . . .

4. Proszę wpisać *rz* lub *sz*.

  1. krót...y   7. k...tałt

  2. st...elać   8. k...esło

  3. d...wi   9. ch...an

  4. gład...y   10. p...czoła

  5. grub...y   11. p...yroda

  6. b...uch   12. w...esień

5. Proszę połączyć wyrazy z kolumn A i B w logiczne pary i ułożyć
z wybranymi 5 zdań.

A: **B:**

  1. poprzednia   a. wykształcenie

  2. towarzyskie   b. pszenica

  3. rześki   c. przyjaciel

  4. burzliwy   d. wrzesień

  5. wzorzysty   e. przykład

  6. zakurzona   f. obrzędy

  7. chrześcijańskie   g. zwierzę

  8. wyższe   h. Grzegorz

  9. najlepszy   i. kołnierz

10. uprzejmy   j. wietrzyk

1. . . . .

2. . . . .

3. . . . .

4. . . . .

5. . . . .

6. Od podanych rzeczowników proszę utworzyć

A: przymiotniki   **B:** czasowniki

Przykład: brzuch – **brzuszny**   krzyk – **krzyczeć**

brzoskwinia		spojrzenie	
przygoda		drzemka	
drzewo		kurz	
orzech		grzejnik	
grzech		wrzenie	
tchórz		sprzedaż	
chrześcijanin		chrzest	
wrzos		uderzenie	

7. Proszę przeczytać, podkreślić **rz**. Do których wyrazów można zastosować poznane reguły? Proszę przepisać dyktując sobie głośno.

Na wzgórzu rośnie stara wierzba, a na brzegu rzeki – piękna brzoza. Pan Kazimierz był mistrzem w strzelaniu z łuku. Czy rzepa ma smak podobny do rzodkiewki? Przyhamuj przed skrzyżowaniem. Grzegorz kupił sobie lepszy grzebień. Poproszę grzyby w śmietanie i jakieś gotowane jarzyny. Na spacerze opowiadała nam o jeziorze w kolorze szmaragdu. Krzysztof jest trzeźwy, więc może ci towarzyszyć. Potknął się o korzeń drzewa. Harcerz sprzedaje znicze koło cmentarza. Marzec jest ulubionym miesiącem tego łyżwiarza. Wszyscy wrzucili po trzy grosze do fontanny. Murzyn wrzasnął, bo wbił sobie drzazgę do palca. Nie stój na wietrze, bo się przeziębisz. Lubię pszenny chleb z masłem i porzeczkowym dżemem. Nasi przyjaciele ciągle narzekają na rząd. Wierzę, że piłkarz umie grać na gitarze. Wszyscy aktorzy poszli na dworzec.

8. Proszę wstawić *rz* lub *sz* w puste miejsca.

W...ędzie coś sk...ypiało i b...ęczało. K...ysiek jest mąd...ej...y od G...eśka. Dziennika... zap...yjaźnił się z mala...em i często rozmawiali do zmie...chu. Czy t...miele i ch...ąszcze d...emią w t...cinie? W teat...e spotkałam znajomego leka...a z Sandomie...a. Bie...esz te wa...ywa? Został ude...ony tępym na...ędziem w b...uch. Koń miał zwich...oną g...ywę. Sta...y księga...e są zwykle ...etelni. Kup sobie p...czeli wosk. Schowaj sk...ypce do sk...yni. Czy piłeś już sok z ja...ębiny? Kto śpi, nie g...eszy. Idzie bu...a – słychać pierw...e g...moty. Ma już t...ynaście lat, a jest głup...y od dziesięciolatka. Ch...ąknął znacząco. P...edwczoraj posp...ątałam i odku...yłam. Muszę sp...edać srebrny lichta... . P...czoły są bardzo pracowite. Pomylił się w tym wzo...e. Jego siost...enica jest u...ędniczką. On teraz maluje wie...by. Ten sta...ec zaw...e chodzi w mundu...e. W ope...e pot...ebny jest lep...y tance... . Gdy lite...e ż brakuje kropki, staje się najzwyklej...ą literą z. Koszyka... celnie w...uca piłkę do kosza. Moje zwie...ęta robią niepo...ądek. Zo...a nad mo...em jest u...ekająca. Nie bądź tchó...em – to tylko nietope...! Nasz najszyb...y kola... ma zapalenie pęche...a. Ta ...eźba p...edstawia sk...ydła anioła.

9. Proszę pogrupować podane wyrazy.

---

strzelać – wierzchni – dokształcanie – uporządkować – stchórzyć – krzykliwy – grzecznościowy – wystrzał – porządny – kurzyć – pszczelarstwo – powierzchowny – krzyknąć – ochrzcić – zakurzony – pszczelarz – przechrzta – tchórzostwo – grzeczność – niegrzeczność – tchórzliwy – nieporządek – pszczeli – odkurzacz – przekształcić – strzelba – wierzchowiec – przekrzyczeć – chrzestny – wykształcenie

---

chrzest – chrzestny – ochrzcić – przechrzta

strzał – _____

krzyk – _____

wierzch – _____

pszczoła – _____

kształcić – _____

kurz – _____

porządek – _____

tchórz – _____

grzeczny – _____

10. Proszę ułożyć co najmniej 5 zdań z *rz* (w każdym zdaniu powinny być po 3 wyrazy z **rz**).

1. . . . .

2. . . . .

3. . . . .

4. . . . .

5. . . . .

ż

1. Proszę zamienić na
A: nazwy czynności   **B:** przymiotniki

Przykład: urazić – ***urażenie***   pręga - ***prężny***

A	B
1. odmrozić –	1. odwaga – . . . .
2. zakazić –	2. potęga – . . . .
3. wozić –	3. uwaga – . . . .
4. obrazić –	4. powaga – . . . .
5. zagrozić –	5. waga – . . . .
6. wyrazić –	6. noga – . . . .

2. Proszę połączyć wyrazy z kolumn A i B w logiczne pary i ułożyć z wybranymi 5 zdań.

A:
1. żaden
2. garażowa
3. oranżadowa
4. młodzieżowa
5. podróżne
6. pożyczona
7. pożyteczny
8. żwawa
9. żółty
10. żałosny

B:
a. branża
b. aranżacja
c. żelazko
d. małżeństwo
e. ożenek
f. bandaż
g. mężczyzna
h. żakiet
i. sprzedaż
j. odzież

1. . . . .

2. . . . .

3. . . . .

4. . . . .

5. . . . .

3. Proszę uzupełnić tabelkę

rzeczownik	*czasownik*	*imiesłów przym. czynny*
mżawka	mżyć	mżący
		żeglujący
	życzyć	
żart		
mnożenie		
		dyżurujący
	krzyżować	
podróż		
	dążyć	
		żonglujący
	żreć	

4. Proszę przeczytać, podkreślić **ż**. Do których wyrazów można zastosować poznane reguły? Proszę przepisać dyktując sobie głośno.

Żółty mężczyzna jest oskarżony o kradzież. Strażnik ma dyżur na wieży. Nie każ mi tam iść! Jego bagaż jest lżejszy niż myślałem. To niebezpieczne zakażenie. Żeglarz lubi podróże. Nożyczki leżą pod łóżkiem. To małżeństwo mieszka bliżej rzeki. Napisał reportaż o młodzieży. Czy jeż jest pożyteczny? Kup mrożone jeżyny. Każda oranżada jest słodka. Uważny żongler może stać się mistrzem. Dostałam przekaz pieniężny.

5. Proszę uzupełnić przy pomocy *ż*.

...aden ...akiet mi się nie podoba. Za...ądali ...arówki i ...yletki. Ka...dy mę...czyzna lubi być chwalony. Proszę maść na odmro...enia. Nie jestem odważna. Lubię dro...dżowe bułeczki. ...yczymy ci udanej podró...y. W gara...u stoi mosię...ne łó...ko. Czy w tym wyra...eniu są formy ...eńskie? Doznał w tym wypadku wiele powa...nych obra...eń. Po...ycz nam ...elazko! Ta choroba zagra...a ...yciu. Piłka no...na jest bardzo popularna. Potrzebny mi masa.... Powinniście mu się zrewan...ować. Nie znoszę m...awki! Za...yczyli sobie ...uru i ...ubrówki. ...ołnierz zmru...ył oczy i patrzył z ...alem na ...aglówkę.

6. Proszę pogrupować podane wyrazy.

> żona – życzliwy – oskarżenie – ożenić się – ożywiony – wieżyczka – życiowy – dyżurny – jeżyk – dyżurka – oskarżać – żałować – życzyć – reżyserski – zjeżyć – wieżowiec – reżyserować – żałość

żona – żeński – ożenić się

jeż – _____

życzenie – _____

żyć – _____

dyżur – _____

wieża – _____

reżyser – _____

żal – _____

oskarżyciel – _____

8. Proszę ułożyć co najmniej 5 zdań z *ż* (w każdym powinny być po 3 wyrazy z *ż*)

1. . . . .

2. . . . .

3. . . . .

4. . . . .

5. . . . .

rz czy ż

1. Proszę połączyć wyrazy z kolumn A i B w logiczne pary i ułożyć z nimi co najmniej 5 zdań.

A:
1. rzadki
2. porządna
3. krzywa
4. oskarżający
5. uprzejmy
6. grzeczny
7. brzydki
8. rzetelny
9. każda
10. życzliwy

B:
a. kalendarz
b. wieża
c. urzędnik
d. rewanż
e. reportaż
f. dorożkarz
g. odzież
h. kradzież
i. Grzegorz
j. zegarmistrz

1. . . . .
2. . . . .
3. . . . .
4. . . . .
5. . . . .

2. Rozsypanka. Proszę poukładać rozsypane wyrazy w zdania.

Przykład: w dorożkarz marynarza twarz uderzył

Dorożkarz uderzył marynarza w twarz.

1. obrażenia życiu poważne Murzyna zagrażają żeber

. . . .

2. przeziębiony jest rzeźbiarz ponieważ chrząka

. . . .

3. na rosną drzewa trzy wzgórzu tym

. . . .

4. nad wrzaski było rzeką słychać strzały i

. . . .

5. założyć możemy ogrzewanie garażu w

. . . .

6. dobrego mu życzliwi życzyli grzybobrania reżyserzy

. . . .

7. niżej księżyc wczoraj niż jest

. . . .

8. swój przyniósł życiorys o dopiero zmierzchu

. . . .

9. mąż jej za żurem rzadkim przepada

. . . .

10. na i za i brzydkie ciężkie krzywe żarówki narzekali żyrandole drzwi

. . . .

3. Proszę przeczytać, podkreślić ż pojedynczą kreską, a rz – podwójną. Do których wyrazów można zastosować poznane reguły? Proszę przepisać dyktując sobie głośno.

Bierze zastrzyki z powodu zakażenia. Nie wiedziałem o aferze fałszerzy pieniędzy. Jaki smak ma rzepa? Daj kurze jeść! Wierzy, że pomoże jej pobyt nad morzem. Drużyna piłkarzy mieszka w hotelu na wzgórzu. On podróżuje za pożyczone pieniądze. Jaki jest pożytek z nietoperzy? Używam najlepszych narzędzi ogrodowych. Grzegorz maże tablicę. Skórzany kołnierz nie pasuje do tego żakietu. Kupiliśmy żaluzje w różowym kolorze. Piosenkarze i aktorzy są dość towarzyscy. Rowerzysta potrącił pieszego tuż przy krawężniku. Na skrzyżowaniu stało dwóch podejrzanych mężczyzn. Pan Trzciński mieszka na parterze. Ujrzał nagle przed sobą dużego żubra. Żaba zakochała się w jeżu i chciała wyjść za niego za mąż. Lubisz żytni chleb? Nie obżeraj się tak cukierkami!

4. Proszę uzupełnić przy pomocy rz lub ż

We w...eśniu pojadę na g...yby. Czy u...yłaś świe...ych dro...dży? Zabanda...uję ci popa...oną dłoń. W...uć makaron do w...ącej wody. Szła wąską dró...ką i zbierała je...yny. Jej ch...estny ojciec jest maryna...em. Miał bardzo zaku...oną odzie... i zwich...one włosy. Ten męd...ec mieszka na b...egu mo...a, czyli na pla...y. Włodzimie... kupił swojej ...onie piękny ko...uch. Nie mów mi o tym fryzje...e! Czy wiesz ile u niego kosztuje st...y...enie?!? W cyrku występuje b...uchomówca, który też ...ongluje. Usiądź z p...odu. Pani ...yczyńska jest bardzo podej...liwa i nikomu nie chce otwo...yć. Jak wygląda je...ozwie...? P...estań mlaskać! Mama ka...e ci natychmiast p...yjść. Wygląda go...ej ni... wczoraj. Dzisiejsza młodzie... du...o podró...uje. Proszę p...ekazać pozdrowienia mał...onkowi. Ob...ar-stwo to b...ydka cecha. Dodaj do ...uru trochę piep...u. Basia mie...y nową suknię. Ma...ę o słonecznych wakacjach w ...ymie. Dziki lubią jeść ...ołędzie. Je...y boi się je...y. Wyj...yj p...ez okno – mo...e zoba-czysz jeszcze tę cię...arówkę. Dziadzio d...emie w fotelu

ch pisze się

1. jeśli w innych formach wyrazu lub w wyrazach pokrewnych wymienia się na *sz*, np.

> mu*ch*a – mu*sz*ka, su*ch*y – su*sz*yć
> u*ch*o – u*sz*y, ci*ch*o – ci*sz*a

2.
* na końcu wyrazów, np.

> ru*ch*, brzu*ch*, pe*ch*

WYJĄTEK: druh

* w końcówce miejscownika liczby mnogiej, np.

> chłopca*ch*, ocza*ch*, matka*ch*

3. po *s*, np.

> pas*ch*a, s*ch*emat, s*ch*odzić, ws*ch*ód

4. w wyrazach zaczynających się od:

> *chl-, chł-, chrz-, chw-*, np.
> *chl*eb, *chl*uba, *chł*opak, *chł*ód,
> *chrz*ąszcz, *chrz*an, *chw*ast, *chw*ila

5. w niektórych wyrazach obcego pochodzenia, które np. w języku angielskim wymawia się jak **k** lub **cz**, a we francuskim **sz**, np.

> *Ch*rystus, *ch*rześcijaństwo, *Ch*iny, *ch*e-
> mia, e*ch*o, *ch*ór, monar*ch*ia, *ch*arakter,
> psy*ch*ologia, *ch*ryzantema, *ch*aos, *ch*oreo-
> grafia, ar*ch*itektura, *ch*irurg, ar*ch*iwum

h pisze się

1. jeśli w innych formach wyrazu lub wyrazach pokrewnych wymienia się na **g**, **ż**, **z**, **dz**, np.

wa*h*ać się – wa**g**a, wa**ż**yć, wa**dz**e
dru*h* – dru**ż**yna, bła*h*y – bła**z**en,

2. w wyrazach rozpoczynających się od
* *hal-, hel-, her-*, np.
*hal*a, *hel*ikopter, *her*b
* *hipo-, hiper-, hydro-*, np.
*hipo*kryzja, *hiper*bola, *hydro*logia

3. w niektórych nazwach własnych obcego pochodzenia, np.

*H*olandia, *H*ellada, Sa*h*ara, *H*imalaje

4. w niektórych wyrazach mimo braku wymiany (jak w p. 1 i 2)

alko*h*ol	*h*armonia	*h*rabia
bo*h*ater	*h*asło	*h*uk
*h*abit	*h*ejnał	*h*umor
*h*aftować	*h*ełm	*h*uragan
*h*ak	*h*igiena	*h*uśtać
*h*ałas	*h*odowla	*h*ymn
*h*amak	*h*onor	o*h*ydny
*h*amować	*h*ormony	we*h*ikuł
*h*arcerz	*h*oryzont	
*h*arfa	*h*otel	

*H*alina, *H*anna, *H*elena, *H*enryk, *H*onorata

ch

1. Podaną formę zdrobniałą proszę zamienić na podstawową lub zgrubiałą.

Przykład: meszek – **mech**

1. brzuszek – . . . .
2. leniuszek – . . . .
3. puszek – . . . .
4. łakomczuszek – . . . . . .
5. muszka – . . . .
6. Leszek – . . . .

7. paluszek – . . . .
8. uszko – . . . .
9. maluszek – . . . .
10. orzeszek – . . . .
11. kieliszek – . . . .
12. duszek – . . . .

2. Proszę uzupełnić:

Łakomczu... Le... najdł się orze...ów i teraz boli go brzu.... Zu... Wojcie... zobaczył du...a. Mu...a wpadła psu do u...a! Kryształowy kieli... spadł na me... . Leniu... nic nie robi, bo ma spu...nięty palu... . Mni... idzie na prze...adzkę. Ten ar...iwista jest pe...owy.

3. Podane wyrazy proszę napisać w miejscowniku liczby mnogiej.

Przykład: chór – **chórach**

1. choinka – . . . .
2. chodnik – . . . .
3. chmura – . . . .
4. chustka – . . . .
5. charakter – . . . .
6. chleb – . . . .
7. chłopak – . . . .
8. choroba – . . . .
9. chirurg – . . . .
10. Chińczyk – . . . .

11. chemik – . . . .
12. psycholog – . . . .
13. chryzantema – . . . .
14. chata – . . . .
15. chrząszcz – . . . .
16. chwila – . . . .
17. chwast – . . . .
18. chuligan – . . . .
19. cholewka – . . . .
20. chart – . . . .

4. Proszę uzupełnić tabelkę

rzeczownik	przymiotnik	przysłówek	czasownik
chmura	chmurny	chmurnie	chmurzyć się
orzech			–
			wąchać
			chorować
		duchowo	–
chemia			–
	chudy		
			ochraniać
		chętnie	

5. Proszę przeczytać, podkreślić *ch*. Do których wyrazów można zastosować poznane reguły? Proszę przepisać dyktując sobie głośno.

Mucha chętnie wącha chryzantemy. Pod choinką rośnie mech. Monarcha napełnił kielichy i zjadł kawałek chleba z chrzanem. Psycholog i chirurg stali na chodniku i czekali na chemika. Chuligan wrzucił Lechowi za cholewkę orzech. Czy chrząszcze chorują? Opowiem wam bajkę o chudych Chińczykach, wesołych chomikach i chytrych lisach. Słońce za chwilę schowa się za chmury. Wojciech ma spuchnięte ucho. Chłopcy nie noszą chusteczek. Scharakteryzuj waszego choreografa.

6. Proszę uzupełnić przy pomocy *ch* i wyjaśnić tę pisownię:

Pewien ...emik, który był ...ory poszedł do psy...iatry. Opowiadał mu o ...murach i ...rząszcza..., a potem o ...iński... wa...larza... . ...irurg uwielbia ...ałwę. ...ryzantemy nie są ...wastami. W liście pisaliśmy im o ...oinka... i wiejski... ...ata... . Na ...odnika... było su...o. E...o powtarzało „...usteczka". Ar...itekt zamówił s...ab i pu...arek lodów. Szli do s...roniska ci...utko na palca... . ...arakteryzatorka lubi ...abrowy kolor. ...ór śpiewał ...rześcijańskie pieśni bardzo ...aotycznie.

7. Proszę pogrupować podane wyrazy.

chiński – chirurgia – psycholog – chustka – chłopiec – archiwista –
chemiczny – chłopak – chusteczka – chemik – chłopczyk – psychiczny – chirurgiczny – archiwalny – Chińczyk

psychologia – psycholog – psychiczny
Chiny – _____
chirurg – _____
chłop – _____
chusta – _____
chemia – _____
archiwum – _____

8. Proszę ułożyć 5 zdań z **ch** (w każdym powinny być co najmniej
3 wyrazy z **ch**)

. . . .

. . . .

. . . .

. . . .

. . . .

h

1. Proszę uzupełnić następujące zdania przy pomocy wyrazów
z ramki (użytych w odpowiednim przypadku):

historyk, herbata, Halina, hokej, Holandia, huśtawka, harmonia,
haftować, Hania, herbatniki, harfa, hamak, wahadło, hutnik,
Henryk

Pani . . . . gra na . . . . , a pan . . . . gra na . .
. . . . – to uczony, który bada dawne dzieje. Małe
ciasteczka podawane do . . . . to są . . . .
jest grą zespołową. Nasza babcia ma antyczny zegar, w którym . . . .
. . . . . . chodzi jak . . . . Tatuś . . . . jest . . . .

Moja siostra ślicznie . . . . – to wiszące łóżko
z płótna lub siatki. . . . . słynie z tulipanów.

2. Proszę uzupełnić następujące zdania przy pomocy wyrazów
z ramki (użytych w odpowiednim przypadku):

> hałas, humor, hymn, hangar, herb, higiena, huk, zahamować,
> hodować, halny, Hiszpania, Helenka, helikopter, hydraulik

. . . . – to garaż dla samolotów i . . . . Dzieci
w szkole . . . . rybki. . . . . nie zdążyła . . . .
i wpadła do wody , ale nie straciła dobrego . . . .
graniczy z Portugalią. Ostatniej nocy w Tatrach wiał . . . .
Zepsuł się kran i musimy wezwać . . . . Gdy strzelają ar-
maty, rozlega się potężny . . . . – to nauka
o zachowaniu zdrowia. Z daleka już było słychać . . . . – to
dzieci bawiły się w parku. Czy umiesz opisać . . . . Krakowa?
Czy znasz . . . . Francji?

3. Proszę uzupełnić tabelkę:

rzeczownik	*przymiotnik*	*przysłówek*	*czasownik*
huk	huczny	hucznie	huczeć
hałas			
		higienicznie	–
			wahać się
harmonia			
	haftowany	–	
		humorystycznie	–
honor			–
	handlowy		

4. Proszę przeczytać, podkreślić **h**. Proszę przepisać dyktując sobie
głośno.

Hipochondryk Hipolit wahał się, czy wypić gorącą herbatę, czy
raczej zimny sok. W hucie panuje hałas i słychać huk. Pewien histo-

ryk ma dziwne hobby: hoduje hiacynty oraz gra na harfie po południu, a wieczorem gra w hokeja. Hieny nie dbają o higienę. Halny połamał drzewa. Halinka huśta się na huśtawce i je herbatniki. Czy wiesz co to jest hiperbola i hiperinflacja? Gdy hydraulik Hilary ma dobry humor, gra hymn Hiszpanii na harmonii. Nasz sąsiad, Holender, sypia w haftowanym hamaku.

5. Proszę uzupełnić przy pomocy *h* i wyjaśnić tę pisownię:

...ipopotam mieszka w Afryce. ...arcerze, gdy rozmawiają ze sobą, mówią do siebie „dru...u". Na lekcji ...istorii nauczyciel opowiadał nam o sytuacji w ...awanie. W drodze do Lublina zatrzymaliśmy się w ...rubieszowie i spędziliśmy noc w ...otelu. Na ...oryzoncie widać było ...andlowe statki. Strażacy, górnicy i żołnierze noszą ...ełmy. Pani ...onorata ...oduje ...iacynty. Wczoraj nad Kalifornią przeszedł ...uragan ...ugo o niespotykanej sile. ...enio dostał od dziadka kij ...okejowy.

6. Proszę pogrupować wyrazy z ramki:

holenderski – bohaterstwo – herbatnik – hrabina – haczyk – zahamować – hotelarstwo – historyczny – hamowanie – hotelowy – hokeista – historyk – herbaciany – Holender – zahaczyć – hokejowy – bohaterski – hrabiowski

hrabia – hrabina – hrabiowski
Holandia – _____
bohater – _____
herbata – _____
hotel – _____
hamulec – _____
historia – _____
hak – _____
hokej – _____

7. Proszę ułożyć 5 zdań z *h* (w każdym powinny być co najmniej 3 wyrazy z *h*)

1. . . . .

2. . . . .

3. . . . .

4. . . . .

5. . . . .

ch czy h

1. Proszę połączyć w logiczne pary wyrazy z kolumny A i B i ułożyć
z nimi co najmniej 5 zdań.

A:
1. chłodna
2. hałaśliwy
3. chory
4. holenderski
5. haftowana
6. bohaterski
7. chiński
8. chytry
9. chudy
10. hiszpański

B:
a. harcerz
b. hokeista
c. chirurg
d. chusteczka
e. handlarz
f. chór
g. herbata
h. chuligan
i. Henryk
j. hymn

1. . . . .

2. . . . .

3. . . . .

4. . . . .

5. . . . .

2. Rozsypanka. Proszę poukładać rozsypane wyrazy w zdania.

Przykład: szkód wyrządził huragan Chinach wiele w
W Chinach huragan wyrządził wiele szkód.

1. hoduje chomiki i Hania hiacynty

. . . .

2. na się huśta chryzantemie chrząszcz

. . . .

3. pluszowego Henio na hipopotama znalazł chodniku

. . . .

4. z herbatniki lubię hiszpańskie orzechami

. . . .

5. narobił wiele Honoraty hałasu chart

. . . .

6. hipokrytą Wojciech hipochondrykiem i jest

. . . .

7. dach z halny zerwał hangaru

. . . .

8. się słońce za chmury schowa chwilę za

. . . .

9. kupić Halinka chusteczki musi higieniczne

. . . .

10. się hrabia waha czy Hieronim przytyć się czy odchudzić raczej

. . . .

3. Proszę przeczytać, podkreślić ***ch*** pojedynczą kreską, a ***h*** – podwójną. Proszę przepisać dyktując sobie głośno.

A:

Stach, znany łakomczuch i łasuch, najadł się orzechów i herbatników i teraz boli go brzuch. Nasz chomik lubi marchewkę i chabry. Pani Helena hoduje chińskie róże. Mama Hani jest higienistką, a tatuś hydraulikiem. Henio chce latać helikopterem. Pan Hipolit waha się, czy iść do psychiatry czy do psychologa. Honoratka ma dużo zajęć: gra na harfie, śpiewa w chórze i chętnie haftuje. Muchomory rosną w mchu. Najlepsze oceny mam z historii i chemii. Hiena ma spuchnięte ucho.

B:

Czy lubisz zapach chryzantem? „Strach ma wielkie oczy". Pan Hieronim pięknie gra na harmonii. Koło stoiska z alkoholem rozległ się wielki huk. Pod choinką było wiele prezentów. Chuligani zdemolowali hangar. Wśród chwastów pełno było chrząszczy. Na chodniku leżała chustka. Czy Honduras leży koło Haiti? Scharakteryzuj bohatera według podanego schematu. Maluchy jeżdżą na hulajnogach. Policja aresztowała handlarzy heroiną. Bohdan zahamował tuż obok huśtawek.

4. Proszę uzupełnić przy pomocy *ch* lub *h*.

A:

W nocy ...uligani połamali ...erbaciane róże pani ...aliny. Wczoraj było bardzo po...murnie. Przyłóż ...ińską maść na spu...nięte kolano. Jutro jest bal ...utników. Złodzieje dostali się przez da... i ukradli pozłacane kieli...y. ...elena lubi oglądać mecze ...okejowe. ...arcerze zaśpiewali ...ymn, a potem ...ętnie ...uśtali się na ...amaka... . Nie lubię ...łodnej ...erbaty. ...abry są ...wastami, ...ociaż są takie ładne. Psy...ologia jest jego ...obby. „Na początku był ...aos.” Wczoraj u sąsiadów były ...uczne imieniny. Na ...aku wisi ...uda szynka. ...ania je ...ałwę i ...olenderskie ...erbatniki. Nasz kot, Pu..., jest strasznym leniu...em. E...o powtarzało: ...op! ...op! ...ej! ...ej! „Czym ...ata bogata, tym rada”.

B:

Kierowca ostro za...amował, bo na jezdnię wbiegł mały ...łopczyk. Kupiliście już ozdoby ...oinkowe? Podarowałyśmy mu antyczny zegar wa...adłowy oraz ...ińską ...erbatę. Lubię ...istorie o du...a... ...rabia zamieszkał w ...łopskiej ...acie. ...onorata podniosła słu...awkę i zawołała: ...alo! Pan Palu...wygłosił referat o ...ormona... . Nasz monar...a przepada za jajkami z ...rzanem. Dzieci ...ałasowały w ogrodzie. ...ipolit ...ce zostać ...emikiem albo ...omeopatą. Na ...oryzoncie widniały góry. Pani ...wastowska ...lubi się kolekcją miniaturowy... ...ełmów. Jaki jest ...erb Warszawy? Le... s...odził po s...oda... bardzo ostrożnie, bo był ...ory. Czy napisałeś im o swoich kłopota... z ...abilitacją? Dziś mam dobry ...umor, bo wieczorem idę na występ ...óru do fil...armonii. Czujesz ten zapa...? Zamówię zupę gro...ową. Grze...otnik jest jadowitym wężem. W ...ile pada deszcz, a w Cze...a... jest susza. Znasz kabaret Lo... Camelot? Czyj jest ten o...ydny we...ikuł?!?

Podstawowe wiadomości o interpunkcji

9

Kropka .

* Kropkę stawiamy na końcu wypowiedzenia (zdania, równoważnika), np.

Napisałem list.
Pada.
Powrót o godz. 16^{00}.

* Kropkę stawiamy po cyfrach arabskich oznaczających liczebniki porządkowe, np.

1. (pierwsza) osoba liczby mnogiej
5. (piąty) rząd
Mieszkam na 6. (szóstym) piętrze.
Poznali się na 8. (ósmych) urodzinach Marcina.

WYJĄTEK: Nie stawia się kropki po liczebnikach oznaczających godziny ani w datach, gdzie miesiąc jest napisany słownie, np.

Pociąg odjeżdża o godz. 7, a następny jest dopiero wieczorem.
Spotkajmy się o 4 pod księgarnią.
Dziś jest 2 marca.
W tym roku Wielkanoc przypada 12 kwietnia.

Daty:

Daty zapisuje się na trzy sposoby:
1. 1.01.2000 r.   lub   1.1.2000 r.
2. 1 stycznia 2000 r.
3. 1 I 2000 r.

* Kropkę stawiamy po skrócie, który jest początkową literą lub początkowymi literami skróconego wyrazu oraz po inicjałach, a także po skrótach obcych jednostek monetarnych, np.

prof. (profesor)   *lek.* (lekarz)   *dyr.* (dyrektor)
w. (wiek)   *r.* (rok)   *ul.* (ulica)
B.B.   *dol.* (dolar)   *fr.* (frank)
p. (pan)   *b.* (były)

* stawia się kropkę na końcu nazwy wielowyrazowej jeżeli kolejne wyrazy zaczynają się od spółgłosek, np.

np. – na przykład,   *jw.* – jak wyżej
itd. – i tak dalej,   *itp.* – i tym podobne
tj. – to jest,   *tzw.* – tak zwany
tzn. – to znaczy,   *pt.* – pod tytułem
br. – bieżącego roku

* jeżeli w wielowyrazowej nazwie drugi wyraz zaczyna się od samogłoski – kropka występuje po skrócie każdego słowa, np.

m.in. – między innymi
p.n.e. – przed naszą (nową) erą
b.u. – bez uwag
p.o. – pełniący obowiązki

* Kropki *nie* stawia się, jeżeli ostatnia litera skrótu jest ostatnią literą skróconego wyrazu, np.

nr (nume**r**), *mgr* (magiste**r**),
dr (dokto**r**), *wg* (wedłu**g**)

* Kropki *nie* stawia się po jednostkach miar i wag oraz polskich jednostkach monetarnych, np. cm – m – km – kg – dkg – zł – gr

* Kropki *nie* stawia się po liczebnikach porządkowych pisanych cyframi rzymskimi, np.

Mieszkam na XI piętrze.
Ta waza pochodzi z XVI wieku.
III Liceum Ogólnokształcące

ĆWICZENIA

---

1. Czy w podkreślonych miejscach trzeba postawić kropkę?

1. Mieszkam przy pl_ Św_ Piotra pod numerem 3_, a ty?
2. Na końcu 3_ osoby liczby mnogiej pisze się **ą**.
3. Mamy stare wydanie tego słownika w 1_ tomie.
4. Posłałem jej 7_ róż.
5. Kup 2_ l_ mleka.
6. Otwórzcie książkę na 10_ stronie.
7. Zrobiłam już 16_ zdjęć.
8. Urodziłam się 24_ stycznia.
9. Mój brat ma 4_ dzieci, 3_ psy i 2_ koty.
10. Ola waży 63_ kg_, a ja – 53_
11. Ten fotel ma 120_ cm_ szerokości.
12. Stąd do Zakopanego jest 7_ km_, ale nie wydaje się to daleko.
13. Prof_ Żwirski jest chory.
14. Artykuł podpisany R_ M_ jest kontrowersyjny.
15. Wszyscy laureaci, tj_ Andrzejczak, Gutwiński, Kowal i Siciński, otrzymają dyplomy.
16. W „Przekroju" (nr_ 40) jest ciekawy artykuł o sektach religijnych.

2. Czy w podkreślonych miejscach trzeba postawić kropkę?

1. Tylko połowa mieszkańców tego miasta (w_g_ sondaży) pójdzie głosować.
2. Następuje szybki wzrost bezrobocia (zob_ rys_ 2_).
3. Doc_ Stankiewicz jest na urlopie.
4. Mój brat wziął ślub 30_ kwietnia.

5. Gen_ Pastusiak już odszedł na emeryturę 12_02_1993 roku.
6. Ekspedientka zważyła 25_ dkg_ szynki.
7. Ta książka kosztuje 10_ zł_ i 50_ gr_ , a za taką samą zapłaciłem 23 fr_ w Lille.
8. Nie widziałam jej przez 5_ lat, t_z_n_ od 24_XII_1995_ roku.
9. Przyszła z 2_ chłopcami.
10. W 2_ semestrze zajmiemy się aspektem czasowników.
11. Mgr_ Anioł pracuje tu od 23_ lat.
12. Czytam teraz książkę o 3_ słynnych tenorach.
13. Tylko 20 proc_ (20%) studentów oddało indeksy w terminie.
14. Dr_ Augustyniak przyjmuje od godz_ 8_ do 14_ codziennie oprócz środy.
15. Niektóre tygodniki, jak n_p_ „Wprost" i „Polityka", opublikowały zdjęcia X.
16. Inż_ Nowak otrzymał wyróżnienie.

Przecinek ,

Przecinek w zdaniach pojedynczych

* Przecinkiem rozdziela się jednakowe i równorzędne części zdania (podmioty lub określenia), np.

Na biurku leżały zeszyty, książki, długopisy i ołówki.
Samochody, ciężarówki i taksówki stały po jednej stronie ulicy, a po drugiej – rowery i motocykle.

* *Nie* rozdziela się przecinkiem wyrazów, z których jeden określa połączenie drugiego z wyrazem nadrzędnym (tzw. przydawek nierównorzędnych), np.

Polskie ludowe melodie były dla niego najpiękniejsze.
Była to *pierwsza udana* wyprawa na Wenus.

* Przecinkiem rozdziela się części zdania połączone spójnikami: *a, ale, lecz, jednak, więc, toteż*, np.

Dzień był mroźny, **lecz** słoneczny.
Nasz sąsiad był sympatyczny, **ale** nieszczery.
Jedwab trzeba prać ręcznie, **a** nie w pralce.
Potrawa była zimna, **więc** niesmaczna.

* *Nie* rozdziela się przecinkiem jednorodnych części zdania połączonych spójnikami: *i, oraz, albo, lub, czy, ani,* np.

Wiosna w Australii jest ciepła **i** pogodna.
Przyjdź z mamą **lub** z tatą.
Nie mam brata **ani** siostry.

W przypadku *powtórzeń* tych spójników, przed każdym powtórzonym stawiamy przecinek, np.

Nie mam **ani** czasu, **ani** ochoty na tę wycieczkę.
Kup **albo** chleb, **albo** bułki.
Czy ty, **czy** on – nich ktoś to naprawi!

* *Nie* stawia się przecinka przed *jak, jakby, niż,* np.

Była blada **jak** kreda.
Spał **jak** kamień.
Jest już szersza **niż** wyższa.
Był **jakby** trochę pijany.

* Wyrazy stojące poza zdaniem rozdziela się przecinkiem (wołacze, wykrzykniki, wyrażenia wtrącone), np.

Marysiu, zadzwoń jutro! (Zadzwoń jutro, Marysiu!)
To jest, moim zdaniem, bardzo słaba praca.
Ach, jaka piękna melodia!
O Boże, co się stało?

* Wyrazy lub zwroty poprzedzające wyjaśnienie lub wyliczenie: **to jest (tj.)**, **to znaczy, (tzn.)**, **jak na przykład (jak np.)**, **czyli,** np.

Przez cały dzień był w pracy, **czyli** na uniwersytecie.

Wyjeżdżam na krótko, **to znaczy** na dwa dni.

ĆWICZENIA

1. Czy w podkreślonych miejscach trzeba postawić przecinek?

1. Po meczu_ i sportowcy_ i trenerzy byli bardzo zmęczeni.
2. Stefan był sympatyczny_ lecz nieśmiały.
3. Mam zdać egzamin z historii_ oraz języka polskiego.
4. Chciał być aktorem_ lub piosenkarzem.
5. Jest mężem mojej siostry_ więc moim szwagrem.
6. Podróż do Paryża była długa_ jednak przyjemna.
7. Latem gram w tenisa_ albo w koszykówkę.
8. W tym roku nie grałem_ ani w koszykówkę_ ani w siatkówkę.
9. Na wakacje pojedziemy_ albo do Włoch_ albo do Grecji.
10. Pokaż mi_ Basiu_ swój zeszyt!
11. Kamil Ż. jest_ według opinii lekarza_ zdrowy_ i normalny.
12. Moje imieniny są w sobotę_ czyli za cztery dni.
13. Jedziemy nad morze_ to znaczy do Juraty.
14. Hm_ nie wiem, co powiedzieć!
15. Ja znam język włoski_ a nie hiszpański.

Przecinek w zdaniach złożonych współrzędnie

Przecinkiem rozdziela się poszczególne zdania:
* *bez spójników*, np.
  Pił piwo, jadł kiełbasę.
  Słońce grzało, raziło w oczy.

* *połączone spójnikami*: **a, ale, lecz, jednak, natomiast, więc, toteż** oraz wyrażeniami **to jest, to znaczy, czyli,** np.:
  Ma gorączkę, **ale** czuje się dobrze.
  Ma dużo pieniędzy, **jednak** nie chce nam pożyczyć ani grosza.
  Adaś był niegrzeczny, **więc** nie dostanie czekoladki.

> *Nie* rozdziela się przecinkiem zdań połączonych spójnikami: **i, oraz, lub, albo, czy, ani,** np.
> Czekała już godzinę **i** niecierpliwiła się.
> Ela pójdzie do fryzjera **albo** spotka się z Ulą.
> Nie chciało mu się uczyć **ani** czytać.

Te same spójniki mogą łączyć kilka zdań współrzędnych, a wtedy przed każdym powtórzonym stawia się przecinek, np.
Ani nie będę jadł, **ani** nie chcę pić.
I zdążysz się nauczyć, **i** pomożesz mi przy kolacji.
Albo będziemy oglądać telewizję, **albo** pójdziemy na spacer.

Przecinek w zdaniach złożonych podrzędnie

Zawsze oddziela się przecinkami zdanie nadrzędne od podrzędnego bez względu na miejsce i sposób ich łączenia, np.:
  Kiedy słońce wyszło zza chmur, *zrobiło się od razu jaśniej.*
  Samochód jechał tak szybko, *że niewiele mogliśmy zobaczyć.*
  Zachwyciły mnie obrazy, które oglądałam na wystawie.
  Chciał, żebym została na noc.

Film, który obejrzałem wczoraj, *bardzo mi się podobał.*
Kolega, z którym mieszkam, *poważnie zachorował.*

ĆWICZENIA

1. Czy w podkreślonych miejscach należy postawić przecinek?

1. Przed parkingiem stał duży samochód_a w nim spał jakiś mężczyzna.
2. W całym domu jest ciemno_ czyli nikogo nie ma.
3. W czasie ferii bardzo dużo czytałam_ i spacerowałam.
4. Rysiek ma złamaną rękę_ więc nie pojedzie z nami w góry.
5. Mój sąsiad nie pracuje_ ani nie szuka pracy.
6. Wacława długo nie było w kraju_ dlatego nie zna nowego regulaminu.
7. Wpadnę jutro do ciebie_ albo zadzwonię.
8. Anielscy i Diabelscy są bardzo pokłóceni_ toteż nie wypada ich razem zaprosić.
9. W piątki zawsze sprzątam_ lub chodzę na zakupy.
10. O wiele lepiej tańczę_ niż śpiewam.

2. Proszę wstawić przecinki tam, gdzie są konieczne.

A:

1. To co podała na kolację było przepyszne.
2. Okazało się że był pijany.
3. Boję się że on ani nie napisze ani nie zadzwoni.
4. Nie lubię ludzi którzy mówią tylko o pieniądzach albo o interesach.
5. Ten kto nie lubi tańczyć nie powinien chodzić na bale.
6. Byliśmy u kolegi obok którego mieszka znany pisarz.
7. Zanim wyjadę chcę ci pokazać zdjęcie które zrobił mi Michał.
8. Przywiozłeś mi farby o które cię prosiłam?
9. Kto pyta nie błądzi.
10. Spóźniła się bo tramwaje nie jeździły a nie miała pieniędzy na taksówkę.

B:

1. Usiądźcie tam gdzie będzie wam wygodnie a także skąd będziecie dobrze widzieć ekran.

2. Był zazdrosny że jego brat jeździ na nartach.
3. Okazało się że piesek którego znalazł Adaś jest chory.
4. Zapytał mnie czy dobrze piszę na komputerze i czy znam obce języki.
5. Będę się tego uczyła tak długo aż się nauczę!
6. Jak tylko wrócimy do domu napijemy się mocnej herbaty zjemy kolację i obejrzymy film o którym dużo słyszeliśmy.
7. Kierownik odwołał zebranie ponieważ on jest chory a jego zastępca wyjechał.
8. Jeżeli jutro będzie padać nie wychodzę z hotelu!
9. Wymalowała się tak jakby szła na audiencję do prezydenta albo na spotkanie z Leonardo di Caprio.
10. Gdzie się dwóch bije tam trzeci korzysta.

3. Proszę wstawić przecinki i kropki tam, gdzie są konieczne.

LEON LESZEK SZKUTNIK anglista autor wielu podręczników:
– Ludzie dzielą się na samouków i nieuków Samo chodzenie na kurs nic nie da jeśli nie włoży się w naukę języków osobistego wysiłku Idealny tekst z podręcznika powinien mieć tzw strukturę otwartą aby uczeń mógł zaangażować wyobraźnię wkomponować elementy własnej biografii Angielskiego uczyłem się na studiach lecz niemiecki opanowałem dużo czytając i słuchając – bez pomocy szkoły kursów bądź nauczycieli Żeby zacząć mówić w obcym języku trzeba pięćdziesiąt razy więcej w nim rozumieć gdyż mówienie jest generowane przez rozumienie Potrzebne jest zapoznanie się z olbrzymią liczbą przykładów aby można było odpowiednio zareagować w sytuacjach nieprzewidywalnych Nie znam dorosłej osoby która mówiłaby dobrze w jakimś języku nie przeczytawszy wcześniej kilkudziesięciu książek w oryginale

("Wprost", 21 XII 1997 r.)

Dwukropek :

* Dwukropek stawia się przed cytatami i mową niezależną, np.

Paweł powiedział: „Przynieś mi zeszyt".
Tytuł tego filmu brzmi: „Pewnego roku wrócisz tu".

* Dwukropek stawia się przed wyliczeniem, np.

Na stole leżały: łyżki, noże, widelce, łyżecz-
ki i widelczyki.
Zamówiliśmy: zupę pomidorową, frytki,
kotlet, sałatkę z kapusty, wino, wodę mine-
ralną i lody.

Dwukropka *nie* stawia się, jeżeli wymienia się
tylko dwa wyrazy lub zwroty połączone spójni-
kiem *i*, np.
Moimi ulubionymi owocami są brzoskwinie
i jabłka.

Cudzysłów „..."

* W cudzysłów ujmuje się cytaty, mowę niezależną, tytuły oraz wyrazy użyte przenośnie,
np.

Nauczyciel poprosił: „Nie rozmawiajcie".
Aktor przyznał się, że nie czytał „Potopu".
Jego „prawdomówność" była wszystkim
znana.

Nawias (...)

* W nawiasy ujmuje się wyrazy i wyrażenia
wtrącone (dodane) oraz te, które przynoszą do-
datkowe wyjaśnienia, np.

Zmarł nagle (prawdopodobnie na malarię)
w 1867 roku.
Niektórzy mężczyźni (przeważnie niscy)
chętnie noszą modne buty.

Pytajnik (znak zapytania) ?

* Pytajnik stawia się na końcu wypowiedzeń pytających, np.

> Wiecie, kiedy jest egzamin?
> Ile masz lat?

Wykrzyknik !

* Wykrzyknik można postawić na końcu wypowiedzeń oznajmujących, pytających lub rozkazujących, jeżeli chce się podkreślić ich treść, zaznaczyć silne zabarwienie emocjonalne, np.

> Co za cudny widok!
> Gdzie są moje pieniądze?!
> Chodź tu!
> Zdałam egzamin na piątkę!!!

Wielokropek ...

* Wielokropek służy do zaznaczania pauzy przed wyrazami, na które chce się zwrócić uwagę, np.

> I wtedy okazało się, że okulary, których szukał od godziny, miał ... na nosie!

* Wielokropek stawia się w miejscu, w którym przerywa się wypowiedź, np.

> A potem...
> Bandyta ukrył się w...

* Wielokropek umieszczony w nawiasie oznacza opuszczoną część cytatu, np.

> „Ale cena, jaką zapłaci (...), jest ogromna".

Średnik ;

Średnik umieszcza się między jednorodnymi zdaniami pojedynczymi i złożonymi; często przy wyliczeniach, np.

Studenci wiedzą, że muszą się uczyć; wiedzą też, że powinni uprawiać sport.

Myślnik (pauza) —

* Można zastąpić pauzą opuszczone człony zdania; można wskazywać na wyrazy nieoczekiwane i uogólnienia, np.

Kupił samochód, dom, jacht – słowem spełnił swoje marzenia.
Ugotuję ci zupę – nawet na dwa dni!

* Między myślniki można włożyć wypowiedzenie wtrącone, np.

Ma on – moim zdaniem – za dużo pieniędzy.

ĆWICZENIA

1. W podkreślone miejsca proszę wstawić znaki: ( ) : - ! ? „ " … ;

1. Czy czytaliście _Quo vadis_ Henryka Sienkiewicza_
2. Ma to_ jak się powszechnie sądzi_ wielkie znaczenie dla rozwoju kultury.
3. W ogrodzie botanicznym rosło wiele rzadkich roślin_ palmy, drzewa pomarańczowe, eukaliptusy i oliwki.
4. Bolesław Prus _ właściwe nazwisko – Aleksander Głowacki_ napisał wiele nowel i powieści.
5. _Powodem tego jest brak ogólnego programu _..._ dla studentów na danym poziomie_ również w podręcznikach brak jest takiego programu._

6. Proszę o ciszę_

7. W konkursie wzięli udział studenci różnych narodów_ Austriacy, Polacy, Szwedzi, Węgrzy i Litwini.

8. Cyrkowiec _ to ginący zawód_ jest to też zawód mało atrakcyjny.

9. Uwaga_ Samochód_

10. Paweł twierdzi, że egzamin był _łatwy_.

11. Andrzej _ to jeden z najzdolniejszych uczniów.

12. Znowu piłeś_

13. Powtórzcie imiesłowy _lekcja 4_ i tryb rozkazujący.

14. Scenariusz do tego filmu napisała Joanna Cukierek_ w filmie gra Barbarę_.

15. Co się stało_

2. W podkreślone miejsca proszę wstawić znaki: [.] [,] [()] [:] [-] [!] [?] [„"] [...] [;]

A:

1. Czy chciałbyś coś dodać_ Zbyszku_

2. Nie mam ani czasu_ ani ochoty na tę wycieczkę.

3. Potrzebne informacje znajdziesz w 6_ tomie _Encyklopedii Powszechnej_.

4. Jest to_ jeśli się nie mylę_ fotografia Barcelony.

5. Pociąg do A._ jedyny nocny_ już odjechał.

6. Mamy trzy duże porty_ Gdańsk, Gdynię i Szczecin.

7. Ojej_ Jak tu ładnie pachnie_

8. Och_ jaka jestem zmęczona.

9. Dół sukni był granatowy_ a góra_ jasnozielona.

10. _Kwiaty te_..._rozkwitają tylko w drugiej połowie maja._

11. To te drzwi_ czy tamte_

12. Justyna R. _ znana krakowska aktorka _ zagra w najnowszej sztuce Mrożka_ zagra w niej też gwiazda scen warszawskich _ Roman J.

13. P_ Stankiewicz musi się zgłosić u kierownika.

14. Kropkę umieszcza się po nawiasie_ jak np_ w ostatnim przykładzie._

15. Gepard _ to najszybszy ssak lądowy.

B:

1. Mój brat urodził się 13_10_1971 r.

2. W naszym klimacie są cztery pory roku_ wiosna_ lato_ jesień i zima.

88

3. Ojciec jest głodny_ więc zły.
4. Zgubiłeś klucze_
5. Niestety_ nie ma tego słownika.
6. A2 _ to obecnie najdroższy samochód w Danii.
7. Może was złapać deszcz lub _co gorsze _ burza.
8. Sportowcom nie wolno pić alkoholu_ nie powinni też palić papierosów.
9. Podawał śmieszne_ jednak trochę głupie przykłady.
10. Synku_ pospiesz się!
11. Mój mąż kupił _ 10 kilo kiwi!
12. Pokoje na 3_ piętrze były droższe_ ale brzydsze.
13. _Amadeusz_ jest moim ulubionym filmem.
14. Znam ją z liceum, tj_ prawie 10 lat.
15. Widziałam go na postoju taksówek z bardzo wysoką (_) brunetką
(_) – co ty na to_ Zawsze lubił niskie blondynki!

3. Proszę uzupełnić poniższy tekst odpowiednimi znakami interpunkcyjnymi.

*„Choć turystyka kosmiczna pozostaje wciąż w sferze marzeń,
niektóre firmy już sprzedają bilety na orbitalne wycieczki"*

Niektórzy twierdzą że chęć zdobywania nowych światów ta sama która m in popychała do dalekich podróży w nieznane Kolumba i Magellana mamy zapisaną w genach Czyżby jak twierdzi Däniken przez obcą cywilizację która niegdyś zasiała życie na Ziemi

Astronomia była od zawsze silnie powiązana z religią Słońce Księżyc i gwiazdy stanowiły dla wielu ludów bóstwa Kosmiczny charakter ma np piłka przedstawiała Słońce w którą grano na całym kontynencie Ameryki Południowej

4. Proszę uzupełnić poniższy tekst odpowiednimi znakami interpunkcyjnymi.

„Kino końca wieku"

Ostatnie badania w Hollywood przynoszą nieoczekiwane wyniki Widz ma dosyć filmów o przemocy Krew która litrami lała się z kinowego ekranu ucieka bocznym kanałem w kierunku kina klasy B kina wideo Może w domowym zaciszu nie wygląda to tak strasznie Nawet Quentin Tarantino osławiony reżyser Pulp Fiction w swym najnowszym filmie złagodniał

Kino zawsze było ucieczką od rzeczywistości Skoro ta za oknem jest okrutnie czarno czerwona o czym na bieżąco informują nas dzienniki telewizyjne niech przynajmniej kinowy obraz ma cieplejsze barwy Koniec z przemocą i dosyć seksu który w kinie zaczął przybierać perwersyjniejsze formy By uzyskać odpowiednie wrażenie sięgano po coraz silniejsze środki wyrazu Efekt Już nikt nie chciał na to patrzeć czego dowodem klapa niezwykle reklamowanego Crasha który spokojnie mógł się znaleźć w repertuarze porno kina

("Kobieta i Styl", nr 88, listopad 1998 r.)

Notatki

Pisownia „nie" łączna i rozdzielna

10

Wyraz „nie" pisze się ROZDZIELNIE:

1. * **przed czasownikami** w formie osobowej, np.

nie chodził, *nie* pisali, *nie* chcę, *nie* robiła

* przed bezokolicznikami, np.

nie chcieć, *nie* jechać, *nie* jeść

WYJĄTKI: niedowidzieć, nienawidzić, niepokoić, niedomagać

* przed formami osobowymi czasowników występujących w funkcji bezosobowej, np.

nie należy, *nie* wypada

* przed wyrazami o znaczeniu czasownikowym, np.:

nie brak, *nie* można, *nie* trzeba, *nie* wiadomo, *nie* warto, *nie* wolno

2. Przed **imiesłowami**, np.

nie czekając, *nie* zapłaciwszy, *nie* znający, *nie* naprawiony

3. Przed **przymiotnikami** i **przysłówkami** w stopniu *wyższym i najwyższym*, np.

nie ładniejszy, *nie* najładniej, *nie* mądrzej, *nie* najmądrzejszy, *nie* szybciej

WYJĄTKI:

nieszczęśliwy	– nieszczęśliwszy
	– najnieszczęśliwszy
nieszczęśliwie	– nieszczęśliwiej
	– najnieszczęśliwiej
niegrzeczny	– niegrzeczniejszy
	– najniegrzeczniejszy
niegrzecznie	– niegrzeczniej
	– najniegrzeczniej

4. Przed **przysłówkami** nie pochodzącymi od przymiotników, np.

> *nie* dosyć, *nie* bardzo, *nie* całkiem, *nie* tylko, *nie* teraz, *nie* zawsze

WYJĄTKI: *nie*bawem, *nie*raz, *nie*zbyt

5. Przed **zaimkami**, np.

> *nie* my, *nie* twój, *nie* ich, *nie* ten, *nie* każdy

WYJĄTKI: *nie*co, *nie*jaki, *nie*którzy

6. Przed **liczebnikami**, np.

> *nie* raz, *nie* dwa, *nie* trzy, *nie* pierwszy, *nie* drugi, *nie* dwoje, *nie* sto

WYJĄTKI: *nie*jeden (= wielu), *nie*wiele, *nie*wielu, *nie*raz (= często)

7. Przed rzeczownikami, przymiotnikami i przysłówkami, jeśli wyraz *nie* wyraża nie zaprzeczenie, lecz wyraźne lub domyślne przeciwstawienie, np.

> Te wiersze są *nie* ładne, ale wspaniałe!
> Wasze egzaminy wypadły *nie* źle, ale fatalnie!
> To *nie* wino, ale ocet!

*Wyraz **nie** pisze się* **ŁĄCZNIE:**

1. z **rzeczownikami**, np.
   ***nie**bezpieczeństwo, **nie**szczęście, **nie**przyjaciel, **nie**obecność*

2. z **przymiotnikami**, np.
   ***nie**wielki, **nie**czynny, **nie**miły, **nie**smaczny, **nie**długi*

3. z **przysłówkami** utworzonymi od zaprzeczonych przymiotników, np.
   ***nie**dawno, **nie**jasno, **nie**zwykle, **nie**mało*

4. z **imiesłowami przymiotnikowymi**, jeśli nie są użyte w znaczeniu czasownikowym, lecz w znaczeniu przymiotników, np.
   ***nie**palący, **nie**pohamowany, **nie**ustraszony, **nie**bywały*

ĆWICZENIA

---

1. W wykropkowane miejsca proszę wpisać odpowiednio – zaprzeczone przymiotniki i przysłówki.

Przykład: szczery – ***nieszczery***　　szczerze – ***nieszczerze***

1. możliwy – . . . .
2. ważny – . . . .
3. zbędny – . . . .
4. parzysty – . . . .
5. elegancki – . . . .
6. aktualny – . . . .

1. normalnie – . . . .
2. higienicznie – . . . .
3. legalnie – . . . .
4. moralnie – . . . .
5. ufnie – . . . .
6. konsekwentnie – . . . .

2. Do podanych przymiotników proszę dobrać z ramki przymiotniki o podobnym znaczeniu.

Przykład: niegłupi – **rozsądny**

> młody, niski, chory, gorzki, ciepły, płytki, bliski, chudy, nudny, smutny, brudny, małoletni

1. niedaleki –	7. niezdrowy – . . . .
2. nieczysty –	8. niesłodki – . . . .
3. niewysoki –	9. niestary – . . . .
4. niegruby –	10. nieletni – . . . .
5. niegorący –	11. niegłęboki – . . . .
6. niewesoły –	12. nieciekawy – . . . .

3. Do podanych przysłówków proszę dobrać z ramki przysłówki o podobnym znaczeniu.

Przykład: niejasno, mętnie – **niewyraźnie**

> niezwykle, nielekko, niekoniecznie, nieśmiało, niedostatecznie, nierzadko, niespodziewanie, nieprzypadkowo, niedługo, nierówno, niewątpliwie, niewiele

1. celowo –	7. bez potrzeby – . . . .
2. często –	8. krótko – . . . .
3. ciężko –	9. nadzwyczajnie – . . . .
4. z pewnością –	10. niewystarczająco – . . . . . .
5. mało –	11. krzywo – . . . .
6. bez uprzedzenia –	12. wstydliwie – . . . .

4. Podane przymiotniki proszę napisać w stopniu

a. równym   b. najwyższym

Przykład: a. **niełatwy**   nie łatwiejszy   b. **nie najłatwiejszy**

1.	nie milszy	. . . .
2.	nie gorszy	. . . .

95

3. . . . . nie większy . . . .
4. . . . . nie delikatniejszy . . . .
5. . . . . nie lepszy . . . .
6. . . . . nie modniejszy . . . .
7. . . . . niegrzeczniejszy . . . .
8. . . . . nie ostrzejszy . . . .
9. . . . . nie trudniejszy . . . .
10. . . . . nie ładniejszy . . . .
11. . . . . nieszczęśliwszy . . . .
12. . . . . nie mniejszy . . . .

5. Proszę uzupełnić tabelkę:

rzeczownik	przymiotnik	przysłówek
niewygoda	niewygodny	niewygodnie
nietakt		
		nieprawdziwie
	niebezpieczny	
		niewinnienie
nieporządek		
	niezależny	
niesmak		
		niechętnie
	niedyskretny	
niegościnność		
		nieuczciwie
niepunktualność		

6. Do podanych rzeczowników proszę dopisać odpowiadające im czasowniki.

Przykład: niewola – **niewolić**

1. niedojrzałość – . . . .   7. niepokój – . . . .
2. niezrobienie – . . . .   8. niepamięć – . . . .

3. niepalenie – . . . .   9. nienawiść – . . . .

4. niecierpliwość – . . . . . .   10. nieomylność – . . . .

5. niedoświadczenie – . . .   11. nieporozumienie – . . . .

6. nieuwaga – . . . .   12. niespodzianka – . . . .

7. Czasowniki z ramki proszę wpisać w puste miejsca.

dotykać, deptać, spóźniać się, karmić, dzwonić, wychylać się, otwierać, prać, zbliżać

1. Nie *spóźniać się* na lekcje!
2. Nie . . . . trawników!
3. Nie . . . . przez okno!
4. Nie . . . . zwierząt!
5. Nie . . . . do klatek!
6. Nie . . . . w gorącej wodzie!
7. Nie . . . . po 23^{00}!
8. Nie . . . . eksponatów!
9. Nie . . . . okien!

8. Proszę wpisać *nie* razem lub oddzielnie z imiesłowami (w zależności od tego czy mają znaczenie przymiotnikowe, czy czasownikowe).

Przykład: Dlaczego dziecko jest jeszcze *nie przebrane*?
        Na przyjęciu były *nieprzebrane* tłumy ludzi.

1.

a. . . . . . .zbadany pacjent ciągle czekał na lekarza.

b. . . . . . .zbadane są wyroki boskie!

2.

a. Na moim biurku leżą . . . . . .ocenione testy.

b. Te . . . . . .ocenione informacje bardzo pomogły nam w pracy.

3.

a. . . . . . .palący żyją dłużej.

b. Prosimy osoby teraz . . . . . .palące o przejście do salonu.

4.

a. W naszej klasie jest kilku . . . . . .wierzących uczniów.

b. Nie przejmuj się osobami . . . . . .wierzącymi ci – wkrótce przekonają się, że mówisz prawdę.

5.

a. Na stole stała ... ...dokończona butelka brandy.

b. W programie dzisiejszego koncertu jest „... ...dokończona symfonia".

6.

a. ... ...pijące kobiety wzięły udział w eksperymencie medycznym.

b. Hymn śpiewały tylko osoby w tym momencie ... ...pijące.

7.

a. Przepraszamy osoby jeszcze ... ...proszone na rozmowę – mamy spore opóźnienie w programie!

b. Nie lubię ... ...proszonych gości!

8.

a. Proszę nie wchodzić! Zaraz tu będzie policja i zbada te ... ...zatarte jeszcze ślady złodzieja.

b. Ostatnie wakacje pozostawiły nam ... ...zatarte wspomnienia!

9.

a. Siedział smutny, ...oczekiwany przez nikogo, samotny...

b. Ten ... ...oczekiwany list sprawił mi wielką radość.

10.

a. Martwiły go warunki przyjęcia do pracy ... ...określone zbyt dokładnie.

b. Od paru dni czuł jakiś ... ...określony ból brzucha.

9. Proszę wpisać *nie* razem lub oddzielnie.

A:
1. ... ...pogoda
2. ... ...katolicki
3. ... ...fachowiec
4. ... ...czekaj
5. ... ...popularny
6. ... ...warto
7. ... ...najważniejszy
8. ... ...umiem
9. ... ...korzystny
10. ... ...czekając
11. ... ...napisawszy
12. ... ...zapominajka

B:
1. ... ...chęć
2. ... ...zawsze
3. ... ...dopałek
4. ... ...wiadomo
5. ... ...on
6. ... ...towarzyski
7. ... ...dwoje
8. ... ...graj
9. ... ...dziś
10. ... ...byliśmy
11. ... ...śpiąc
12. ... ...którzy

C:
1. ... ...porządek
2. ... ...znasz
3. ... ...zrobiwszy
4. ... ...wchodzić
5. ... ...kompletny
6. ... ...najciekawiej
7. ... ...płodność
8. ... ...wolno
9. ... ...gramatycznie
10. ... ...ustraszony
11. ... ...jedząc
12. ... ...cenzuralny

D:
1. ... ...takt
2. ... ...uwaga
3. ... ...tutaj
4. ... ...oddanie
5. ... ...my
6. ... ...myśląc
7. ... ...wypiwszy
8. ... ...czterech
9. ... ...żonaty
10. ... ...raz
11. ... ...spokojnie
12. ... ...zbyt

10. Proszę wpisać *nie* razem lub oddzielnie.

A:

... ...palący i ... ...pijący Edek był ... ...chlujnie ubrany, ...uczesał się i ... ...ogolił, a do tego zachowywał się ... ...kulturalnie i zadawał ... ...dorzeczne pytania. ... ...sympatyczny i ... ...elegancki mężczyzna ... ...mówiąc ani słowa stanął przede mną i nic ... ...widziałam. ... ...wielu wychowawców postępuje tak ... ...konsekwentnie i ... ...najmądrzej jak nasz ... ...kompetentny i ... ...znający swoich obowiązków nauczyciel, pan X. Proszę na mnie ... ...czekać! ... ...pisanie wyraźnie, ...robienie odstępów między linijkami ani ... ...zostawianie marginesów – dyskwalifikuje prace! To ... ...ona upiekła te ciasteczka, tylko ja! ... ...jeden chciałby tańczyć z Aldoną, ale ona sobie upodobała tego ... ...zbyt mądrego, ...najmłodszego już i ... ...mającego poczucia rytmu Tomasza. ... ...zjadłszy obiadu ani ... ...wypiwszy ziółek Zygmunt położył się do łóżka, bo czuł się ... ...najlepiej. Proszę ... ...wchodzić! Wyszedł, ...płacąc rachunku.

B:

... ...dawno ten ... ...dbaluch Nikodem ... ...delikatnie nadepnął mi na nogę i ... ...przeprosił. Oni są ... ...dobraną parą. Czasowniki ... ...dokonane są ... ...łatwe. ... ...cierpię... ...logicznych zadań i ... ...jasnych instrukcji! Przysłówek jest ... ...odmienny. Pisał ... ...poprawnie, ...gramatycznie i ... ...najciekawiej, ale ... ...chciał tego zmienić. Bartek, ...przeczytawszy lektury, ...mógł wziąć udziału w dyskusji. ... ...bawem przyjdzie nasz ... ...domyślny kolega,

... ...jaki Tolek, i ... ...dosyć, że będzie ... ...interesująco opowiadać o ... ...jadalnych grzybach, ...moralnych sztukach i ... ...najlepszych filmach, to na pewno oplotkuje ... ...których ... ...obecnych znajomych i ... ...raz ... ...całkiem taktownie zada ... ...jedno ... ...dyskretne pytanie, na które ... ... zawsze można znaleźć odpowiedź.

11. Proszę wpisać *nie* razem lub oddzielnie.

„Spod skalpela"

Ilu chętnych do tego typu zabiegów jest w Polsce, ...wiadomo, bo nikt ... ...przeprowadził dotąd w naszym kraju podobnej ankiety. Można przypuszczać, że w ocenie swojego wyglądu ... ...ustępujemy Amerykankom.

I tak jak ... ...ma podziału na płeć, tak również wiek ... ...stanowi bariery.

Na Zachodzie coraz więcej gabinetów chirurgii estetycznej jest wyposażonych w komputery, które pomagają ... ...zdecydowanym podjąć ostateczną decyzję. Lekarze chwalą to ... ...zwykle drogie urządzenie, ponieważ mają mniej reklamacji ... ...zadowolonych pacjentek.

Gabinety medycyny estetycznej ... ...mają licencji, stąd ryzyko trafienia na ... ...uczciwych pseudospecjalistów jest duże. ... ...kiedy zachęcająco niskie ceny mogą być mylącym atutem. ... ...wątpliwie polskie gabinety, nawet najdroższe, są atrakcyjne dla pacjentek przyjeżdżających z zagranicy.

(*„Kobieta i Styl" nr 88, listopad 1998 r.*)

ROZWIĄZANIA ĆWICZEŃ

1. Duże i małe litery

Ćw. 1: E b A n w H A L F m a W

Ćw. 2: polska, francuski, hiszpański, koreański, australijski, belgijska, czeskie, szwedzki, wietnamska, brazylijska, rosyjski, boliwijska

Ćw. 3:

1. m g
2. j p k ś
3. O S A
4. G K A E
5. W C M M C
6. f F N
7. p E A P t F
8. K P W W
9. k k
10. P p
11. K S
12. s

Ćw. 4:

1. W
2. M m n
3. f z
4. W P
5. p a
6. u J B p T K
7. r o
8. b B Ś
9. N R b S
10. n r G
11. O B
12. b o

Ćw. 5:

1. Ż W F C
2. P D M
3. b g
4. I S O
5. p P
6. z
7. r
8. a H f p
9. P g g
10. n K K
11. B W
12. Z M

Ćw. 6:

Tarnów, marca, Kochana, Małgosiu, Ciebie, grypę, Mała, Ją, Ją, Ty, Twoja, Ciocia (ciocia), Eleonora, Ona, Wasz, fiat, nas, niedzielę, Bożym Narodzeniu, Aresem, Marcin, wszystkich, Julia

Ćw. 7:

a p M K / A E / w f / m / l m / k C / o G W / P K / A e A / R r / W p / s / c / g T / t / k p /

Ćw. 8:

S / M P / p m / O U / O k G K / k W S s / S K O / P k / v p / M K b p / S S M m / d a f s / N P / w / W W / b w /

2. Spółgłoski dźwięczne i bezdźwięczne

Ćw. 1:

błąd, sąd, sok, czołg, wąż, samochód, ogród, pieróg, sarkofag, limit, kołnierz, gad, kąt, śnieg, róg, kod, kot, gołąb, nóż, ptak, papieros, gwóźdź, Szwed, płot

Ćw. 2:

waliza, szyba, trąba, bluza, łoże, torba, ława, gniazdo, drzewo, woda, łza, kawa

Ćw. 3:

d – obiadu, g – mózgu, rz – lekarza, s – obrusów, z – obrazów, s – głosów, d – miodu, t – butów, ż – męża, ż – ryżu, b – zęba, ż – garażu, g – pociągu, k – szalika, g – śniegu, d – dowodu, rz – kurzu, w – nerwów, f – sejfu, rz – kalendarza

Ćw. 4:

robić, zostawić, (oni) jedzą, (ty) jedziesz, wrócić, chodzić, (ty) siedzisz, piszesz, (oni) otworzą, mówić, nosić, powiesić

Ćw. 5:

A: w / t / c / g / dz / d / ż / s / rz / ż / t / k
B: d / ż / d / f / ż / w / sz / b / p / dz / rz / s
C: w / b / z / w / g / dz / c / t / s / z / d / w

Ćw. 6:

1. Lekarze jedzą obiady.
2. Pociągi jadą wolniej niż samochody.
3. Ci Szwedzi są weselsi niż tamci Francuzi.
4. Kalendarze i noże leżą na stole (na stołach).
5. Fotografuję chleby i miody.
6. Mężowie wycierają kurze.
7. Grzyby są mniejsze niż obrazy.
8. Gołębie mają chore zęby.
9. Czy w słowach „sarkofagi" są błędy?
10. Narysuj łodzie i stawy.
11. Obserwuję wyścigi psów.
12. Widzisz te długie korytarze?

Ćw. 7:

MIÓD – miodowy – miodowo
ląd – LĄDOWY – lądowo
ogród – ogrodowy – OGRODOWO
śnieg – ŚNIEGOWY – śniegowo
LUD – ludowy – ludowo
ludzie – ludzki – PO LUDZKU
GRZYB – grzybowy – grzybowo
gwiazdka – GWIAZDKOWY – gwiazdkowo

Ćw. 9:

ś w d / k g / d ż / d / g / sz ż w / z rz / w f w w f / rz w /
z g / dz rz w / d sz / d ż / dz w / w / w b / w rz w / w / d z /
rz t / d w s t / p / ż / d d / ż ż f / b rz sz / k f / s ś /
w ż w z / rz ż / dź rz / w / dź /

3. Spółgłoski miękkie i twarde

A:

Ćw. 1:
A: si /si /ś /ś /ś /ś /si /ś /ś /ś /ś /ś
B: ś /si /ś /si /ś /ś /ś /ś /ś /si /ś /si

Ćw. 2:
A: ź /ź /zi /ź /zi /ź /zi /ź /zi /ź /zi /ź
B: ź /zi /ź /zi /ź /ź /zi /zi /zi /zi /zi /ź

Ćw. 3:
A: ci /ci /ć /ci /ć /ci /ci /ci /ci /ć ć /ci /ci
B: ci /ć /ci /ci /ci /ci /ć /ci /ci /ci /ć /ci

Ćw. 4:
dź /dzi /dzi /dzi /dzi /dzi /dź /dź /dzi /dzi /dzi /dź

Ćw. 5:
A: ń /ni /ń /ni /ni /ni /ni /ń /ni /ń /ń /ni
B: ń /ń /ń /ni /ni /ni /ni /ni /ni /ni /ni /ń

Ćw. 6:
dzi dzi ź ni / zi ś / ś zi ci / ś dzi ś / si ś / ci zi ni / ni dzi / ź ci /
zi ni ni zi / zi si dzi ś dzi / si ń / zi ci ni / ź / dzi dzi si / dź dzi /
ś ci / ś ś / ś ś ni / ś dzi ś / ś ś ś / dzi ś ś / ń ś / si si dzi /
dzi ci dzi / ń / si ci ś / ci ś / ci ś / ni ci /

B:

Ćw. 1:
A: si /si /si /ś /s /s /s /ś /si /s
B: s /ś /ś /s /s /si /ś /s /si /ś

Ćw. 2:
A: zi /zi /zi /zi /ź /z /zi /ź /ź /z
B: ź /zi /Z /z /z /z /z /zi /zi /ź

Ćw. 3:
A: c /c /ci /c /c /ci /c /ci /c /ci
B: ć /ci /ci /ci /c /c /ci /ci /c /ci

Ćw. 4:
dz /dz /dzi /dzi /dzi /dź /dz /dź /dź /dzi /dz /dzi

Ćw. 5:
A: ni /ni /ni /n /n /ń /ni /n /n /n
B: n /ni /ń /ni /n /ń /ni /n /ni /ń

Ćw. 6:
si si ź s / n ń / si ni ci s n / si ś zi / dz ś ś / zi zi zi / dź ś /
ć ci / c si ś / n n ni ń / dź ź c / S s ś / si zi / c ci / n ci ci / s s /
dzi s ni / zi z ni ci / dzi dzi dz ć n n / ś ci s / c ć c / ś ź / c cz ź /

C:

Ćw. 1:
A: s /sz /sz /sz /s /sz /s /sz /s /s
B: s /s /sz /s /sz /s /sz /sz /s /s

Ćw. 2:
A: z /ż /rz /z /z /ż /z /ż /ż /ż
B: rz /z /ż /z /z /z /ż /z /z /rz

Ćw. 3:
A: cz /c /cz /cz /c /c /cz /c /cz /cz
B: cz /cz /c /cz /cz /c /cz /cz /c /c

Ćw. 4:
dz /dż /dż /dz /dz /dż

Ćw. 5:
c cz cz / dz dż s s sz / Z z ż / c cz s s sz rz / s cz cz /
S sz sz sz sz s z / cz rz z c c s / Dż cz / z sz / Z ż s z cz /
ż sz z / sz sz / ż z z / s s / ż ż / sz z rz / sz z s / cz z s sz s /

D:

Ćw. 1:	Ćw. 2:	Ćw. 3:	Ćw. 4:
1. sz – ś	1. ż – zi	1. ci – cz	1. dż – dzi
2. sz – si	2. zi – rz	2. ci – cz	2. dzi – dz
3. si – sz	3. ż – zi	3. cz – ci	3. dzi – dż
4. sz – ś	4. Rz – zi	4. cz – ć	4. dż– dzi
5. sz – si	5. zi – rz	5. ci – cz	5. dz– dzi
	6. rz – Zi	6. cz – ci	
		7. cz – ci	
		8. ci – cz	

Ćw. 5:

dzi dż ś / Cz ci / rz sz sz cz zi / zi Rz ś / Ci cz / sz si si / si sz /
zi dzi / Ci ci sz cz sz cz / sz ś / zi ż / Sz si cz ci / cz si / ć /
Cz si si sz / Zi cz / ś dzi ci / dż rz / si zi / sz ż ci / dzi dż /

4. Pisownia ji, ii, i

Ćw. 1:

1. Ani
2. stacji
3. biologii
4. poczekalni
5. Norwegii
6. Słowacji
7. chemii
8. stoczni

9. kawiarni
10. wersji
11. encyklopedii
12. nadziei
13. geografii
14. idei
15. lilii
16. kuchni

Ćw. 2:

1. uczelnia
2. Maria
3. restauracja
4. latarnia
5. żmija
6. akcja
7. orchidea
8. kokieteria

9. teoria
10. Bośnia
11. kolej
12. sesja
13. komedia
14. kwiaciarnia
15. konwalia
16. winiarnia

Ćw. 3:

j i / i i i i / i / i / i / i / j j j / i / i / i / i / j j i i / i / i i / i /
j j / i / i i / i i / i / i / j i / i / i / i / j / j /

Ćw. 4:

ji ji ii / ii ii ji / ii ii ji / ii ji ii / ii ji / ji ii ji / i i / i i / i / ii ii /
ii ii / ji j / i / ji ii / ii / ji ii / i ji i / i ji ii /

Ćw. 5:

ji ii / ii ji / i i / ji i / i ji i / ji / ii ii / i ii / ii / i / i i / ii i ii /
i ii / ji / ji ji / i / i ii / i / ji i / i / i i /

5. Pisownia ą, on, om, ę, en, em

Ćw. 1:

ząb, sonda, mąż, remont, komfort, wąż, błąd, plomba, rząd, blondyn, konkurs, gałąź

Ćw. 2:

pieniężny, gęsty, pajęczy, pamiętny, gołębi, majętny, dębowy, zajęczy, urzędowy, względny

Ćw. 3:

skonstatować, fragment, prezent, sens, anons, mądry, kontrast, gorączka, mętny, komplikować

Ćw. 4:

wzięłyśmy, zapięłam, płynęłyście, kichnęłaś, zasnął, dotknęło, cofnęli, zdjąłeś, ciągnął, zamknęłam, odjęłyśmy, krzyknęły

Ćw. 5:

em ę / ą ę ą ę ą / ą ę ę ę / en / ą ę / ę om om om en om ę ę ą /
em ą / ą / on / en om ą ę ą / ę ą ą / ą en ę ą ę ą on ą / om /
ą en /

Ćw. 6:

om ę on / en en en / en ą / ę ę / ę ą om / ę on ą on / ą on en ę /
ę on / ą ę ę ę / on ą ę / em / en en / om en / on / ę om / ę ę /
en ę ą ę / ę / om ą ą ą / ę ą / ą ą ą / on ę / ę ą / en ę /
en ę om /

6. Pisownia ó i u

Ćw. 1:

napoje, wzory, mrozy, lody, doły, pokoje,
nastroje, sokoły, wieczory, groby, sposoby, ogrody

Ćw. 2:

pól, kóz, kół, pszczół, nóg, wód, krów, głów, ról, sów, pór, osób

Ćw. 3:

włosów, samochodów, słowników, kotów, listów, studentów, lwów, długopisów, kotletów, artystów, butów, filmów

Ćw. 4:

wiśniowa, orzechowa, klasowa, dwurzędowa, międzynarodowa, kremowe
plażowa, grochowa, siatkowa, końcowa, ciężarowy, miętowy

Ćw. 5:

TCHÓRZ – tchórzliwy – tchórzliwie – tchórzyć
chór – chóralny – CHÓRALNIE
róż – RÓŻOWY – różowo – różowieć
kłótnia – kłótliwy – kłótliwie – KŁÓCIĆ SIĘ
król – królewski – PO KRÓLEWSKU – królować
PRÓBA – próbny – próbnie – próbować
(równość), równanie – równy – równo, (równie) – RÓWNAĆ
ŻÓŁĆ – żółty – żółto – żółknąć

Ćw. 8:

góral – góra, wzgórze
skóra – skórzany, skórny
krótki – krótko, skrócić
wróżka – wróżyć, wróżba
późno – spóźnić się, opóźnienie
kłótnia – skłócony, pokłócić się
szczegół – wyszczególnić, szczególnie
córka – córunia, córeczka

Ćw. 1:

suchy, zimny, pijany, miły, czarny, tłusty, miękki, głupi, lekki, słodki, cichy, ciepły

Ćw. 2:

Piotruś, Maruś, Tomuś, Franuś, Heniuś, Ewunia, Martunia, Alunia, Olunia, Krysiunia

Ćw. 3:

pakujesz, rachujemy, buduję, potrzebujecie, parkuje, kupuję,
komponuje, pielęgnują, częstuję, prasujemy, gotujesz, zajmujecie

Ćw. 4:

BRUD – brudny – brudno – brudzić
głuchota – głuchy – głucho – GŁUCHNĄĆ
REGUŁA – regularny – regularnie – regulować
paskuda – PASKUDNY – paskudnie – paskudzić
BURZA – burzliwy (burzowy) – burzliwie (burzowo) – (burzyć)
kultura – kulturalny – KULTURALNIE
tłuszcz – tłusty – tłusto – TŁUŚCIĆ

Ćw. 7:

biuro – biurowy, biurko
wujek – wujostwo, wuj
futro – futerkowy, futrzany
bluza – bluzka, bluzeczka
wyrzut – wyrzucać, wyrzutnia
musztarda – musztardówka, musztardowy
grusza – gruszkówka, gruszka
dziura – dziurawić, dziurawy

u czy ó

Ćw. 2:

1. Tatuś niósł duży pakunek.
2. Lubię miód i konfitury z truskawek.

3. Na budowie trwa spór o niziutki mur.
4. W dziupli wiewiórki panuje smutny nastrój.
5. Malutka Józia hoduje w ogródku nasturcje i żółte róże.
6. Na zieleniutkiej trawie leżała mięciuteńka i bielusieńka poduszka.
7. Uwaga! Ta ciężarówka ma zepsute hamulce.
8. Ugotuję ci grochówkę albo żurek i podam żubrówkę.
9. Potrzebna mi twoje gumka do ołówka.
10. Czuł uporczywy ból w lewym uchu.

Ćw. 4:

u ó ó / ó u / ó u ó / u u / u ó u / u ó / ó / ó u /
u ó u ó ó u ó u / ó u ó / u u ó / ó ó ó / ó ó / u ó / ó ó u ó /
ó ó ó / u u u u / u u ó / ó / ó ó / u ó ó u ó / ó u u / u ó u ó /
ó / u u u u / u u ó / ó ó / u ó u u ó / Ó ó ó /

7. Pisownia rz i ż

Ćw. 1:

marcowy, piłkarski, starczy, wierny, żołnierski, sandomierski,
morski, dworcowy, żeglarski, górny, mądry, aptekarski

Ćw. 2:

gitarze, ofierze, operze, jeziorze, kolorze, mundurze
literze, spacerze, wzorze, kurze, aferze, architekturze

Ćw. 3:

A: aktorzy, dyrektorzy, profesorzy, dekoratorzy, kompozytorzy, akwizytorzy
B: rzeźbiarz, dziennikarz, lekarz, pielęgniarz, tancerz, malarz

Ćw. 4:

sz / rz / rz / sz / sz / rz / sz / rz / rz / sz / rz / rz

Ćw. 6:

A: brzoskwiniowy, przygodowy, drzewny, orzechowy, grzeszny, tchórzliwy,
chrześcijański, wrzosowy
B: spojrzeć, drzemać, kurzyć, grzać, wrzeć, sprzedać, chrzcić, uderzyć

Ćw. 8:

sz rz rz / rz rz sz rz / rz rz rz rz / rz rz rz rz / rz rz rz / rz rz /
rz rz rz / rz rz / rz rz rz / sz / rz rz / rz / rz / rz sz rz / rz sz /
rz / rz rz rz / rz rz / sz / rz / rz rz / rz / rz sz rz / rz rz sz rz /
rz sz / rz rz / rz rz / rz rz rz / rz rz / sz rz rz / rz rz rz /

Ćw. 9:

strzał – strzelać, wystrzał, strzelba
krzyk – krzykliwy, krzyknąć, przekrzyczeć
wierzch – wierzchni, powierzchowny, wierzchowiec

pszczoła – pszczelarstwo, pszczelarz, pszczeli
kształcić – dokształcanie, przekształcić, wykształcenie
kurz – kurzyć, zakurzony, odkurzacz
porządek – uporządkować, porządny, nieporządek
tchórz – stchórzyć, tchórzostwo, tchórzliwy
grzeczny – grzecznościowy, grzeczność, niegrzeczność

ż

Ćw. 1:
A: odmrożenie, zakażenie, wożenie, obrażenie, zagrożenie, wyrażenie
B: odważny, potężny, uważny, poważny, ważny, nożny

Ćw. 3:
żegluga – żeglować – ŻEGLUJĄCY
życzenie – ŻYCZYĆ – życzący
ŻART – żartować – żartujący
MNOŻENIE – mnożyć – mnożący
dyżur(ny) – dyżurować – DYŻURUJĄCY
krzyż – KRZYŻOWAĆ – krzyżujący
PODRÓŻ – podróżować – podróżujący
dążenie – DĄŻYĆ – dążący
żongler – żonglować – ŻONGLUJĄCY
żarcie – ŻREĆ – żrący

Ćw. 6:
jeż – język, zjeżyć
życzenie – życzliwy, życzyć
żyć – ożywiony, życiowy
dyżur – dyżurny, dyżurka
wieża – wieżyczka, wieżowiec
reżyser – reżyserski, reżyserować
żal – żałować, żałość
oskarżyciel – oskarżenie, oskarżać

rz czy ż

Ćw. 2:
1. Poważne obrażenia żeber zagrażają życiu Murzyna.
2. Rzeźbiarz chrząka, ponieważ jest przeziębiony.
3. Na tym wzgórzu rosną trzy drzewa.
4. Nad rzeką słychać było wrzaski i strzały.
5. Możemy założyć ogrzewanie w garażu.
6. Życzliwi reżyserzy życzyli mu dobrego grzybobrania.
7. Księżyc jest niżej niż wczoraj.
8. Przyniósł swój życiorys dopiero o zmierzchu.
9. Jej mąż przepada za rzadkim żurem.
10. Narzekali na krzywe drzwi, brzydkie żarówki i ciężkie żyrandole.

Ćw. 4:

rz rz / ż ż ż / ż rz / rz rz / ż ż / rz rz / rz ż rz / rz rz rz ż /
rz ż ż / rz / rz ż / rz ż / rz / Ż rz rz / ż rz / rz / ż rz / rz ż /
ż ż ż / rz ż / ż rz / ż rz / rz / rz Rz / ż / rz ż / rz rz ż ż / rz /

8. Pisowania ch i h

Ćw. 1:

brzuch, leniuch, puch, łakomczuch, mucha, Lech,
paluch, ucho, maluch, orzech, kielich, duch

Ćw. 3:

choinkach, chodnikach, chmurach, chustkach, charakterach, chlebach, chłopa-
kach, chorobach, chirurgach, Chińczykach
chemikach, psychologach, chryzantemach, chatach, chrząszczach, chwilach, chwa-
stach, chuliganach, cholewkach, chartach

Ćw. 4:

ORZECH – orzechowy – orzechowo
węch – węchowy – węchowo – WĄCHAĆ
choroba – chorobowy – chorobowo – CHOROWAĆ
duch – duchowy – DUCHOWO
CHEMIA – chemiczny – chemicznie
chudość – CHUDY – chudo – chudnąć
ochrona – ochronny – ochronnie – OCHRANIAĆ
chęć – chętny – CHĘTNIE – chcieć

Ćw. 7:

Chiny – chiński, Chińczyk
chirurg – chirurgia, chirurgiczny
chłop – chłopiec, chłopak, chłopczyk
chusta – chustka, chusteczka
chemia – chemiczny, chemik
archiwum – archiwista, archiwalny

Ćw. 1:

Halina, harfie, Henryk, harmonii / Historyk / herbaty, herbatniki / Hokej / wahadło,
huśtawka / Hani, hutnikiem / haftuje / Hamak / Holandia

Ćw. 2:

Hangar, helikopterów / hodują / Helenka / zahamować, humoru / Hiszpania / halny
/ hydraulika / huk / Higiena / hałas / herb / hymn /

110

Ćw. 3:

HAŁAS – hałaśliwy – hałaśliwie – hałasować
higiena – higieniczny – HIGIENICZNIE
wahadło – wahadłowy – wahadłowo – WAHAĆ SIĘ
HARMONIA – harmoniczny – harmonicznie – harmonizować
haft – HAFTOWANY – haftować
humor – humorystyczny – HUMORYSTYCZNIE
HONOR – honorowy – honorowo
handel – HANDLOWY – handlowo – handlować

Ćw. 6:

Holandia – holenderski, Holender
bohater – bohaterstwo, bohaterski
herbata – herbatnik, herbaciany
hotel – hotelarstwo, hotelowy
hamulec – zahamować, hamowanie
historia – historyczny, historyk
hak – haczyk, zahaczyć
hokej – hokeista, hokejowy

---

ch czy h

Ćw. 2:

1. Hania hoduje chomiki i hiacynty.
2. Chrząszcz huśta się na chryzantemie.
3. Henio znalazł na chodniku pluszowego hipopotama.
4. Lubię hiszpańskie herbatniki z orzechami.
5. Chart Honoraty narobił wiele hałasu.
6. Wojciech jest hipokrytą i hipochondrykiem.
7. Halny zerwał dach z hangaru.
8. Za chwilę słońce schowa się za chmury.
9. Hania musi kupić chusteczki higieniczne.
10. Hrabia Hieronim waha się czy przytyć, czy raczej się odchudzić.

Ćw. 4:

A: ch h H / ch / ch ch / h / ch ch / H h / H h ch h h ch /
ch h / ch ch ch / ch h / ch / h / h ch / H ch h h / ch ch /
ch h h h h / ch /
B: h ch / ch / h ch h / h ch ch / H ch ch / H ch h / ch h ch /
ch ch / h / H ch ch h / h / Ch ch ch ch / h / ch ch ch ch ch /
ch h / h ch h / ch / ch / ch / Ch ch ch / ch / h h /

9. Podstawowe wiadomości o interpunkcji

Ćw. 1:

1. /. /. /. /
2. /. /

9. /x /x /x /
10. /x /x /. /

3. /x /
4. /x /
5. /x /x /
6. /. /
7. /x /
8. /x /

11. /x /x /
12. /x /x /
13. /. /
14. /. /. /
15. /. /
16. /x /

Ćw. 2:

1. /x /. /
2. /. /. /. /
3. /. /
4. /x /
5. /. /. /. /
6. /x /x /
7. /x /x /x /x /. /
8. /x /x /x /. /x /x /x /

9. /x /
10. /. /
11. /x /x /
12. /x /
13. /. /
14. /x /. /x /x /
15. /x /. /
16. /.   /x/

Przecinek w zdaniach pojedynczych

Ćw. 1:

1. /x /, /
2. /, /
3. /x /
4. /x /
5. /, /
6. /, /
7. /x /
8. /x /, /

9. /x /, /
10. /, /, /
11. /, /, /x /
12. /, /
13. /, /
14. /, /
15. /, /

Przecinek w zdaniach złożonych

Ćw. 1:

Przecinki nie występują w zdaniach: 3, 5, 7, 9, 10

Ćw. 2:

A:

1. To, co podała na kolację, było przepyszne.
2. Okazało się, że był pijany.
3. Boję się, że on ani nie napisze, ani nie zadzwoni.
4. Nie lubię ludzi, którzy mówią tylko o pieniądzach albo o interesach.
5. Ten, kto nie lubi tańczyć, nie powinien chodzić na bale.
6. Byliśmy u kolegi, obok którego mieszka znany pisarz.
7. Zanim wyjadę, chcę ci pokazać zdjęcie, które zrobił mi Michał.
8. Przywiozłeś mi farby, o które cię prosiłam?
9. Kto pyta, nie błądzi.
10. Spóźniła się, bo tramwaje nie jeździły, a nie miała pieniędzy na taksówkę.

B:

1. Usiądźcie tam, gdzie będzie wam wygodnie, a także skąd będziecie dobrze widzieć ekran.
2. Był zazdrosny, że jego brat jeździ na nartach.
3. Okazało się, że piesek, którego znalazł Adaś, jest chory.
4. Zapytał mnie, czy dobrze piszę na komputerze, i czy znam obce języki.
5. Będę się tego uczyła tak długo, aż się nauczę!
6. Jak tylko wrócimy do domu, napijemy się mocnej herbaty, zjemy kolację i obejrzymy film, o którym dużo słyszeliśmy.
7. Kierownik odwołał zebranie, ponieważ on jest chory, a jego zastępca wyjechał.
8. Jeżeli jutro będzie padać, nie wychodzę z hotelu!
9. Wymalowała się tak, jakby szła na audiencję do prezydenta albo na spotkanie z Leonardo di Caprio.
10. Gdzie się dwóch bije, tam trzeci korzysta.

Ćw. 3:

LEON LESZEK SZKUTNIK, anglista, autor wielu podręczników:

– Ludzie dzielą się na samouków i nieuków. Samo chodzenie na kurs nic nie da, jeśli nie włoży się w naukę języków osobistego wysiłku. Idealny tekst z podręcznika powinien mieć tzw. strukturę otwartą, aby uczeń mógł zaangażować wyobraźnię, wkomponować elementy własnej biografii. Angielskiego uczyłem się na studiach, lecz niemiecki opanowałem dużo czytając i słuchając – bez pomocy szkoły, kursów bądź nauczycieli. Żeby zacząć mówić w obcym języku, trzeba pięćdziesiąt razy więcej w nim rozumieć, gdyż mówienie jest generowane przez rozumienie. Potrzebne jest zapoznanie się z olbrzymią liczbą przykładów, aby można było odpowiednio zareagować w sytuacjach nieprzewidywalnych. Nie znam dorosłej osoby, która mówiłaby dobrze w jakimś języku, nie przeczytawszy wcześniej kilkudziesięciu książek w oryginale.

Dwukropek – cudzysłów – nawias – pytajnik – wykrzyknik – wielokropek – średnik – pauza

Ćw. 1:

1. /„ /” / ? /
2. /– /– / lub /, /, /
3. /: /
4. /(/) /
5. /„ /(/) /; /„ /
6. /! /
7. /: /
8. /– /; /

9. /! /! /
10. /„ /” /
11. /– /
12. /?! /
13. /(/) /
14. /(/) /
15. /? /

Ćw. 2:

A:

1. /, /? /
2. /, /
3. /. /„ /” /
4. /– /– / lub /, /, /

9. /, /– /
10. /„ /(/) /” /
11. /x /? /
12. /(/) /; /– /

5. /(/) /   13. /. /
6. /: /   14. /(/. /) /
7. /! /! /   15. /– /
8. /, /

B:

1. /. /. /   9. /, /
2. /: /, /, /   10. /, /
3. /, /   11. /... /
4. /?! /lub /! /   12. /. /, /
5. /, /   13. /,, /" /
6. /– /   14. /. /
7. /– /– /lub /, /, /   15. /! /! /? /
8. /; /

Ćw. 3:

Niektórzy twierdzą, że chęć zdobywania nowych światów, ta sama, która m. in. popychała do dalekich podróży w nieznane Kolumba i Magellana, mamy zapisaną w genach. Czyżby – jak twierdzi Däniken – przez obcą cywilizację, która niegdyś „zasiała" życie na Ziemi?

Astronomia była od zawsze silnie powiązana z religią. Słońce, Księżyc i gwiazdy stanowiły dla wielu ludów bóstwa. Kosmiczny charakter ma np. piłka (przedstawiała Słońce), w którą grano na całym kontynencie Ameryki Południowej.

Ćw. 4:

Ostatnie badania w Hollywood przynoszą nieoczekiwane wyniki. Widz ma dosyć filmów o przemocy! Krew, która litrami lała się z kinowego ekranu, ucieka bocznym kanałem w kierunku kina klasy B, kina wideo. Może w domowym zaciszu nie wygląda to tak strasznie? Nawet Quentin Tarantino, osławiony reżyser „Pulp Fiction", w swym najnowszym filmie złagodniał.

Kino zawsze było ucieczką od rzeczywistości. Skoro ta za oknem jest okrutnie czarno-czerwona, o czym na bieżąco informują nas dzienniki telewizyjne, niech przynajmniej kinowy obraz ma cieplejsze barwy. Koniec z przemocą i dosyć … seksu, który w kinie zaczął przybierać perwersyjniejsze formy. By uzyskać odpowiednie wrażenie, sięgano po coraz silniejsze środki wyrazu. Efekt? Już nikt nie chciał na to patrzeć, czego dowodem klapa niezwykle reklamowanego „Crasha", który spokojnie mógł się znaleźć w repertuarze porno kina.

10. Pisownia „nie" łączna i rozdzielna.

Ćw.1:

1. niemożliwy   1. nienormalnie
2. nieważny   2. niehigienicznie
3. niezbędny   3. nielegalnie
4. nieparzysty   4. niemoralnie
5. nieelegancki   5. nieufnie
6. nieaktualny   6. niekonsekwentnie

Ćw. 2:

1. bliski
2. brudny
3. niski
4. chudy
5. ciepły
6. smutny

7. chory
8. gorzki
9. młody
10. małoletni
11. płytki
12. nudny

Ćw. 3:

1. nieprzypadkowo
2. nierzadko
3. nielekko
4. niewątpliwie
5. niewiele
6. niespodziewanie

7. niekoniecznie
8. niedługo
9. niezwykle
10. niedostatecznie
11. nierówno
12. nieśmiało

Ćw. 4:

1. niemiły – nie najmilszy
2. niezły – nie najgorszy
3. nieduży – nie największy
4. niedelikatny – nie najdelikatniejszy
5. niedobry – nie najlepszy
6. niemodny – nie najmodniejszy
7. niegrzeczny – nienajgrzeczniejszy
8. nieostry – nie najostrzejszy
9. nietrudny – nie najtrudniejszy
10. nieładny – nie najładniejszy
11. nieszczęśliwy – nienajszczęśliwszy
12. niemały – nie najmniejszy

Ćw. 5:

NIETAKT – nietaktowny – nietaktownie
nieprawda – nieprawdziwy – NIEPRAWDZIWIE
niebezpieczeństwo – NIEBEZPIECZNY – niebezpiecznie
niewinność – niewinny – NIEWINNIE
NIEPORZĄDEK – nieporządny – nieporządnie
niezależność – NIEZALEŻNY – niezależnie
NIESMAK – niesmaczny – niesmacznie
niechęć – niechętny – NIECHĘTNIE
niedyskrecja – NIEDYSKRETNY – niedyskretnie
NIEGOŚCINNOŚĆ – niegościnny – niegościnnie
nieuczciwość – nieuczciwy – NIEUCZCIWIE
NIEPUNKTUALNOŚĆ – niepunktualny – niepunktualnie

Ćw. 6:

1. nie dojrzeć
2. nie zrobić
3. nie palić
4. niecierpliwić (się)
5. nie doświadczyć
6. nie uważać

7. niepokoić się
8. nie pamiętać
9. nienawidzić
10. nie omylić (się)
11. nie porozumieć (się)
12. nie spodziewać (się)

Ćw. 7:

2. deptać
3. wychylać się
4. karmić
5. zbliżać się

6. prać
7. dzwonić
8. dotykać
9. otwierać

Ćw. 8:

1. a. Niezbadany
2. a. nie ocenione
3. a. Niepalący
4. a. niewierzących
5. a. nie dokończona
6. a. Niepijące
7. a. nie proszone
8. a. nie zatarte
9. a. nie oczekiwany
10. a. nie określone

b. Nie zbadane
b. nieocenione
b. nie palące
b. nie wierzącymi
b. Niedokończona
b. nie pijące
b. nieproszonych
b. niezatarte
b. nieoczekiwany
b. nieokreślony

Ćw. 9:

A: razem: 1, 2, 3, 5, 9, 12
B: razem: 1, 3, 6, 12

C: razem: 1, 5, 7, 9, 10, 12
D: razem: 1, 2, 4, 9, 10, 11, 12

Ćw. 10:

A:
Niepalący, niepijący, niechlujnie, nie uczesał, nie ogolił, niekulturalnie, niedorzeczne / Niesympatyczny, nieelegancki, nie mówiąc, nie widziałam / Niewielu, niekonsekwentnie, nie najmądrzej, niekompetentny, nie znający / nie czekać / Niepisanie, nierobienie, niezostawianie, / nie ona / Niejeden, niezbyt, nie najmłodszego, nie mającego / Nie zjadłszy, nie wypiwszy, nie najlepiej / nie wchodzić /nie płacąc
B:
Niedawno, niedbaluch, niedelikatnie, nie przeprosił / niedobraną / niedokonane, niełatwe / Nie ciepię, nielogicznych, niejasnych / nieodmienny / niepoprawnie, niegramatycznie, nie najciekawiej, nie chciał / nie przeczytawszy, nie mógł / Niebawem, niedomyślny, niejaki, nie dosyć, nieinteresująco, niejadalnych, niemoralnych, nie najlepszych, niektórych, nieobecnych, nie raz, nie całkiem, niejedno, niedyskretne, nie zawsze /

Ćw. 11:

nie wiadomo, nie przeprowadził / nie ustępujemy / nie ma, nie stanowi / niezdecydowanym / niezwykle, niezadowolonych / nie mają / nieuczciwych / Niekiedy / Niewątpliwie

Bibliografia

Awdiejew U., *Ćwiczenia ortograficzne dla studentów polonijnych*, Wydaw. UJ, Kraków 1980 (skrypt)

Cienkowski W., *Gramatyka języka polskiego dla cudzoziemców* cz. I, Wydaw. UW, Warszawa 1988

Gawdzik W., *Ortografia i gramatyka na wesoło*, Instytut Wydawniczy Pax, Warszawa 1990

Jodłowski S., Taszycki W., *Zasady pisowni polskiej i interpunkcji ze słownikiem ortograficznym*, Ossolineum, Wrocław 1983

Klemensiewicz Z., *Podstawowe wiadomości z gramatyki języka polskiego*, PWN, Warszawa, 1981

Komorowska H., *Podstawy metodyki nauczania języków obcych*, EDE, Warszawa 1993

Lipińska E., *Niemodne dyktanda*, „Języki obce w szkole" nr 5, 1996, s. 406–414

Ortografia na bardzo dobry. Książka pomocnicza do nauki języka polskiego. Oprac. Gierymska B., Gierymski K., Agencja Wydaw. „Gram", Warszawa 1994

Otwinowska J., *Uczmy się pisać*, Gryf Publ., Londyn 1963

Podracki J., *Słownik interpunkcyjny języka polskiego z zasadami przestankowania*, Wyd. Oświata, Warszawa 1993

Polański E., *Dydaktyka ortografii i interpunkcji*, WSziP, Warszawa 1987

Stypka A., *Gramatyka w szkole podstawowej. Ćwiczenia dla klasy IV*, Wydaw. Oświata, Warszawa 1993

Tarkowski S., *Dyktanda z powtórką zasad ortografii polskiej*, Wyd. „Saga", Warszawa 1992

Wójcik J., *Nauka ortografii i interpunkcji. Wiadomości i ćwiczenia dla uczniów klas 4–6*, WSziP, Warszawa 1986

UNIVERSITAS POLECA:

Ewa LIPIŃSKA, Elżbieta Grażyna DĄMBSKA
Kiedyś wrócisz tu... A Polish Language Textbook for Intermediate

Władysław MIODUNKA
Cześć, jak się masz? A Polish Language Textbook for Beginners

Marta PANČÍKOWÁ, Wiesław STEFAŃCZYK
Po tamtej stronie Tatr. Učebnica pol'štiny pre Slovakov

W przygotowaniu:
Józef PYZIK
Przygoda z gramatyką. Słowotwórstwo i fleksja imion

Joanna MACHOWSKA, Helena WEHRHAHN
Co słychać na Ukrainie? Podręcznik języka polskiego dla Ukraińców

SŁOWNIKI

Stanisław MĘDAK
Ja, ty i on...
Słownik form koniugacyjnych czasowników polskich

W przygotowaniu:

Zofia Kurzowa
Słownik podstawowy języka polskiego w układzie alfabetycznym i tematycznym

KSIĄŻKI TAiWPN UNIVERSITAS
MOŻNA ZAMÓWIĆ LISTOWNIE I TELEFONICZNIE
W NASZYM DZIALE HANDLOWYM

31-426 Kraków, ul. Żmujdzka 6B
tel. (012) 413 91 36
fax (012) 413 91 25
e-mail:box@universitas.dnd.com.pl
http://www.universitas.dnd.com.pl

ZAPRASZAMY DO:

KSIĘGARNI UNIVERSITAS
pl. Wszystkich Świętych 7
31-004 Kraków

GŁÓWNEJ KSIĘGARNI NAUKOWEJ
im. Bolesława Prusa sp. c.
Krakowskie Przedmieście 7
→ 00-008 Warszawa
i jej filii w Gdańsku i Gdyni

KSIĘGARNI IM. MIKOŁAJA KOPERNIKA
ul. Kuźnicza 30/33
50-137 Wrocław

KSIĘGARNI OMEGA
Rynek 19
45-015 Opole

KSIĘGARNI STANKIEWICZ
ul. 3 Maja 9
43-300 Bielsko-Biała

KSIĘGARNI OŚWIATOWEJ
pl. Sobieskiego 3
33-120 Tarnów

KSIĘGARNI KAPITAŁKA
ul. Niepodległości 4
61-874 Poznań

KSIĘGARNI MARZEŃ
pl. Wolności 14
40-078 Katowice

LUBELSKIEGO CENTRUM KSIĄŻKI
ul. Krakowskie Przedmieście 53
20-076 Lublin

KSIĘGARNI EXLIBRIS
ul. Głęboka 15
43-400 Cieszyn